心理学に基づいた

0歳から12歳

やる気のない子が一気に変わる「すごい一言」

竹内エリカ

一般財団法人
日本キッズコーチング協会理事長

KADOKAWA

こんにちは。竹内エリカです。
私はこれまで20年にわたって子どもの心理、教育、育成について研究し、
0歳から12歳の子を持つたくさんの親御さんから
子育ての質問を受けてきました。

よく受ける質問が

「子どもに自分で片づけしてほしいんですが
どうしたらいいでしょうか」
「子どもが自分で勉強するようになるには
どうしたらいいでしょう？」

というものです。

たとえば、お子さんが学校から帰ってきました。
ランドセルを放り投げると
リビングのいつもの定位置に寝転んで、
スマホに手を伸ばします。
そして宿題をせずにダラダラ動画を見ています。

「あー、早く勉強してほしいな」と思いますね。
ここでひとつ、あなたに質問です。

勉強してほしいとき、
あなたは
お子さんになんと言いますか？

「勉強しなさい！」

でしょうか？

ちょっと待って！

親が「勉強しなさい」と言うほど、
子どもは勉強したくなくなるのです！

勉強しないで遊んでばかりいる子どもを見ると、
つい「勉強しなさい！」
「遊んでばかりいちゃダメ」
と言いたくなります。

けれどもそんなときに限って
「今やろうと思ったのに」
という言葉が返ってきた経験はありませんか？

子どもは「勉強しなさい」と言われると
かえって勉強したくなくなるのです。
「やりたくない」という
「抵抗」を感じてしまうのです。

このような現象を、心理学では「心理的リアクタンス」と呼びます。

リアクタンスは「抵抗・反発」の意味で、相手に行動などを制限されることで、それに反発したくなるという心理現象を指します。

つまり、「勉強しなさい」と言えば言うほど（＝制限）、子どものやる気は失われていく（＝反発）ということ。

親としては
勉強させたいがためにかけた言葉でも、
それが逆効果になってしまうことがあるのです。

それでは、
どのような言葉を
かけたらいいのでしょう。

心理的リアクタンスが生じるのは
自分の行動や意思を制限されたとき。
つまり、制限されたと感じないよう、
選択肢を増やしてあげると抵抗が減ります。

命令はやめて、
好きな方を選ばせるのです。

たとえば「A or Bの質問法」で伝える方法があります。
「A？ それともB？」のように、
2つのうちどちらかを選択する形の質問です。
具体的な言い方を、年齢別に見ていきましょう。

0〜2歳への声かけ

何についても、とりあえず「イヤ！」と言うイヤイヤ期。
食事の前に「ごはん食べる？」と聞くと
「パンがいい」と言い、
「じゃあパンにする？」と聞くと
今度は「やっぱりごはんがいい」と主張したりしますね。

ではどのような言葉をかければいいでしょうか？

そんなときは、
はじめから
「ごはんとパンどちらにする？」
と聞いてみてください。
子どもの反抗心はやわらぎます。

3〜6歳への声かけ

遊んでいる子どもに
「遊んでばかりいないで、お風呂に入りなさい」

と言うと、

「今、入ろうと思ってたのに」

という言葉が返ってきます。

そういう場合はどんな言葉をかければいいでしょう。

「お風呂の時間だね」「今すぐ入る？」

「それとも5分後に入る？」

と聞いてみてください。

おそらく5分後と答えますが、
5分待つだけで入ってくれれば成功です。

また、そろそろ寝る時間というときは、
「寝る時間だね」「うさぎさんの絵本と
カエルさんの絵本、どっちが読みたい？」
などと聞いてみてください。
「早く寝なさい！」と言うよりは、
寝る確率は上がるはずです。

7〜12歳
への声かけ

子どもがなかなか勉強しないというとき。
「今すぐ勉強しなさい」
ではなく、
何と声をかければ
自分で勉強をはじめるでしょうか？

「そろそろ勉強する時間だね」

「算数からやる？

それとも国語からやる？」

もう少し時間に余裕があるときは、

「ごはんを食べてから勉強する？

それとも勉強してからごはんにする？」

という具合にするといいでしょう。

この本ではこのような「心理学」に基づいた、
子どもが嫌な気持ちにならず自律的にアクションを起こす
「すごい一言」をまとめています。
子どもと一緒に過ごす時間の中で、会話はとても重要です。
だから年齢とともにどのように声をかけたらいいのか、
ママ・パパも理解して対応していくことが大切なのです。

本をパラパラとめくり
ご自身が「こんなときどう言えばいいのか」と困っていることや
「これは！」と目に留まったページから読んでみてください。
すぐに実践できます。

些細な違いですが0歳から12歳の子どもの才能が
グッと伸びやすくなるはずです。
何歳からはじめても構いません。
きっと子どもさんとあなたがよい関係を保ちながら、
意思疎通がスムーズにできるようになるでしょう。

もくじ

第1章 日常生活で自律的な行動を促す一言

第2章

子どもの知能と才能を伸ばす一言

第3章

子どものやる気を伸ばす一言

第4章

子どもの心を安定させる親の態度

カバーデザイン
tobufune
カバーイラスト
どいせな
本文デザイン
吉村朋子
本文イラスト
たかまつかなえ
編集協力
平井薫子
編集
続木順平（KADOKAWA）
DTP
ニッタプリントサービス
校正
鷗来堂

第1章

日常生活で自律的な行動を促す一言

×勉強しないといい学校に入れないよ
○勉強するとこんなにいいことがあるよ

Keyword
ブーメラン効果

「『勉強しなさい』はあなたのため」は子どもの反抗心を刺激する

巻頭ページでお伝えした心理的リアクタンスは、制限の種類によって命令型、説得型、禁止型の3つのタイプに分けられます。その中の「説得型」についてお伝えします。

子どもに勉強させたいと思ったとき、「勉強しないといい学校に行けないよ」「あなたのために言ってあげてるのよ」のような声かけをしてしまうことがありますね。それに対して「別に行けなくてもいいもん」「そんなこと頼んでないのに」などと返事が返ってきたら、子どものためを思って言っている親としては悲しくなります。

なんとか子どもの心に響くように伝えたい。そう思うから、それらしい理由を並べて、さらに説得しようと意気込んでしまうものです。実はこれもまた、子どもの反抗心を刺激する要素になりうるのです。

勉強の大切さを理解してもらおうと論理的に「説得」すればするほど、子どもの反抗心を刺激すると言われています。この現象を「ブーメラン効果」と呼びます。

ブーメランをご存じですか？「く」の字形をした木製の飛び遊具です。ブーメランは目標に向かって投げ、命中しない場合は戻ってきます。

遠くに投げようと思えば思うほど、逆に勢いを増して戻ってくるブーメランのように、説得しようとすればするほど相手は自分に反発するようになるというものです。

親の思いが強いほど、子どもは逆の行動をするようになるということ。「勉強してほしい」と思ってかけた言葉が、相手の心に届かず、子どもは勉強したくなくなるという逆の効果をもたらしてしまうのですね。それがブーメランの特性と似ているためこう呼ばれています。

それでは、説得をせずに子どもの心に響かせるには、どのような声かけをしたらいいでしょうか。

意識してほしいのは、「○○するとこんなにいいことがあるんだよ」とポジティブな未来のイメージを伝えること。それにより、意欲を刺激してあげられます。「○○しないとこんな悪い結果になっちゃうよ」のようにネガティブなイメージを伝えると、子どもの反抗心を煽ってしまうことに。年齢別に具体例をご紹介しましょう。

0〜2歳への声かけ

食事ができるようになると、親としては健康のためにバランスよく食べさせたい、色々な食材を食べてほしいと思いますね。ですが、子どもは好き嫌いをするもの。そんなとき「色んなものを食べないと病気になっちゃうよ」と言うのではなく、「ここにピーマンさんがいる！」「にんじんさんはシャキシャキしておいしいね」のように声をかけてみましょう。楽しい体験をすることで、子どもの意欲が刺激されます。

3〜6歳への声かけ

夜、子どもがなかなか寝てくれないとき。「早く寝ないと起きられないよ」「ちゃんと寝ないと大きくなれないよ」などの論理的な説明は避けて。「もう寝る時間だね。ベッドで一緒に絵本読もうか」「今夜はどんな夢見るかな？　○○ちゃんの夢にお母さん・お父さんも出てみようかな」「明日の朝スッキリ起きられたら一緒に散歩しにいこうか」のように、寝るとどんないいことが待っているかを伝えてみてください。

7〜12歳への声かけ

冒頭でお話しした通り、勉強しない子どもに「勉強しないといい学校に行けないよ」などの説得は禁物。「算数ができるようになったら、お買い物もできるしお小遣いの計算もできるようになるよ」「英語ができたら外国の映画も見られるようになるんだよ」のように、勉強することは楽しい、勉強するといいことがある、というポジティブなイメージを伝えてあげましょう。

ずっと動画を見ているのをやめさせたいとき

×動画ばかり見ていちゃダメ！
○見てもいいよ。あとひとつだけね

Keyword
カリギュラ効果

させたくないことがあっても「〜しちゃダメ」は避けて

勉強してほしいのに、テレビを見たりゲームをしたりと、一向に勉強する気配を見せない子ども。そんなとき、つい「遊んでばかりいちゃダメ」「ゲームはダメ」という言葉をかけてしまうものです。

しかし、「遊んでばかりいないの」と言われて、子どもは「はい、わかりました」と言うでしょうか？「ゲームはダメ」と言われて「はい、すぐにやめます」と言うでしょうか？　そんなに素直だったら、子育てはもっと簡単なはず。「勉強しよう」と意欲的になってくれることはなかなかありません。
「もっと遊びたい！」「みんなもゲームやってるもん。なんで僕だけダメなの？」などと反論が返ってくることが多いはずです。実はこれには論理的な理由があります。

これが、心理的リアクタンスの3つめのタイプ「禁止型」。「カリギュラ効果」と呼ばれる現象で、禁止されることで逆に「やりたい」という心理が働くというものです。現象の名前は、1980年にアメリカで放映された映画「カリギュラ」に由来しています。内容がとても過激なために上映禁止になったのですが、それがかえって人々の関心を引いて、大ヒットにつながりました。「見るな」と言われると見たくなってしまう人の心理ですね。

これは子どもにも通じるもので、「宿題をやらないと遊んじゃダメ」と言われると遊びたくなり、「テレビをつけちゃダメ」「YouTubeは見ちゃダメ」と言われるとテレビやYouTubeが見たくて仕方がなくなってしまうのです。

大人も一緒ですね。甘いものを控えようと思うと、ついおいしそうなケーキが食べたくてたまらなくなるとか、今日は早く寝ないといけないと思うともう少しだけ起きていたくなるとか。そんな経験はないでしょうか？　人はしてはいけないと禁止されるほど、そのことばかり考えるようになってしまうのです。

効果的な方法に「いいよ話法」があります。

いいよ話法とは、まずは「いいよ」と受け止めたあとに「○○したらね」と条件を出す会話法のこと。「ダメ」と言うと反抗心を刺激するので、まず肯定してあげるのが効果的です。声かけ例を含めて次項で具体例を紹介します。

「お菓子食べたい！」と要求してきたとき

×ごはんが食べられなくなるからダメ！
○いいよ。ごはんを食べたあとでね

Keyword
いいよ話法

「いいよ」と言った数だけ、子どもの才能が伸びる

子どもが「お菓子食べたい！」「もっと遊びたい！」とおねだりをしてきたとき、反射的に「ダメ！」「ごはん食べられなくなっちゃうでしょ」「もう寝る時間よ」などと言ってしまうものです。心や時間に余裕がないとつい「ダメ」と答えてしまいますが、このときの声かけにひと工夫することで子どもの反応が変わっていきます。

おすすめしたいのが、「いいよ話法」です。相手が言ってきたことをまず「いいよ」

と受け入れ、そのあとに条件を出すというテクニックです。

たとえば、「お菓子食べたい！」と言われたら、「いいよ。ごはんを食べたあとでね」というように。「ダメ！　まだごはん食べてないんだから」と言うのとでは、同じ意味でも受ける印象は全く違いますね。

いいよ話法をとることで、子どもの反抗心を煽らないだけでなく、子どもが自由に発言できるようになります。まず「いいよ」と受け入れてあげることで、子どもは「肯定された」と感じます。そこで満足する場合もありますし、やっぱり食べたいと思った場合は交渉に進むこともできます。その場合は、

子ども「やっぱり食べたいな」
親「でも今食べたらごはん食べられなくなっちゃうよね」
子ども「ごはんもちゃんと食べるから」
親「じゃあ1個だけにしようか」

のように、少しずつ譲りながら話を進めることで、子どもに交渉力が身につきます。

交渉力が身につくと、子どもは賢くなります。何か問題が起きても「じゃあこうしたらどう?」と提案して着地点が見出せるようになり、できないことが少なくなっていきます。100%願望が叶えられなくても自分の中で合点がいくようになり、精神的にも不満を減らせるようになるのです。

0~2歳への声かけ

今では小さい子でもスマホやタブレットに触れられる環境があります。YouTubeなどの動画は視覚的な刺激が強く、子どもが一度見始めたらやめられなくなります。「もっと見たい!」とねだってきたら、「いいよ。でもあと1本にしようね」と言うといいでしょう。その際、子どもが見続けてしまわないよう、YouTubeの自動再生設定をオフにする、YouTubeではなくDVDを活用するなどすれば安心です。

3~6歳への声かけ

買い物に行ったとき「お菓子買って!」と騒ぐ子は多いですね。「ダメだよ」と言っても「はい、わかりました」とは言いませんし、「やだ! 買って買って」とさらに大声で騒ぐ場合も。そんなときは「いいよ。この買い物が終わったら100円分だけね」と言ってみてください。騒いでいた子どもも、心がラクになるはずです。

7～12歳への声かけ

この年齢になるとゲームにハマる子が多く、「ゲーム買って」とねだられることもありますね。「友達はみんな持ってるのにどうして僕だけダメなの？」と言ってきたりもします。高価なものも多いゲーム機器。「高いからダメ」と言いたくなりますが、そこで「いいよ。ただしお母さん・お父さんを説得できたらね」と言ってみてください。子どもは説得するための理由を必死で考えるでしょう。反抗心は確実に収まります。

寒い日に半袖で出かけようとするとき

×寒くない？ 上着を着ていったら？

○半袖で行くんだね

Keyword
バウンダリー理論

親が心配性であるほど、子どもが依存する

どんな親でも、わが子のことは常に気にかけ心配するもの。急に泣き出したら「お腹が空いたのかな？」「おしっこしたのかな？」と心配しますし、食事を食べるようになって好き嫌いが多かったら「このまま偏食になったらどうしよう」と心配します。反抗的な態度をとれば「もっと優しい子になってほしい」と思うし、優し過ぎて意見が言えないと「もっと自己主張できる子になってほしい」と思うものです。

心配するだけならいいのですが、「寒くない？ 上着を着ていったら」とか「雨が降りそうだよ。傘を持っていきなさい」「忘れ物はない？ ハンカチ持った？ 宿題やった？」のように頻繁に声をかけるのは〝口の出し過ぎ〟です。さらに、子どもの宿題をつきっきりで手伝ったり、子ども同士の喧嘩に口を出して学校に乗り込んだりするのは〝手の出し過ぎ〟です。

口の出し過ぎを「過干渉」、手の出し過ぎを「過保護」と呼んだりしますが、これらは時として子どもの経験や自立のチャンスを奪ってしまうことがあります。

口の出し過ぎ、手の出し過ぎといった親子の距離感は、その後の人間関係の「距離感の土台」に影響します。

心理学では、自分と他人を区別する境界線のことを「バウンダリー」と言い、小さい頃からの親と子の関係がその後の人間関係の距離感の土台になると考えられています。

親と子どもの距離が近すぎるとバウンダリーが曖昧になりやすく、子どもは自分で考える機会を奪われてしまい、人の感情に振り回されやすくなります。子どもが自ら考えて行動できるよう、口の出し過ぎ、手の出し過ぎには注意したいものです。具体例を紹介していきます。

0～2歳への声かけ

歩き始めた頃の子どもをイメージしてください。一生懸命歩こうとして、心許ないと思うでしょう。危なっかしく見えても、すぐ後ろから支えたり、背中を掴んだりするのは手の出し過ぎです。常に支えられていると、子どもは自分の重心や、どうすれば安定させられるかがわからなくなります。支え過ぎた方が、転ぶ危険性が高くなってしまうのです。子どもの経験を邪魔しないように、「こっち側を歩こうか」とやわらかい地面を歩かせるなど、環境に気を遣ってあげることが大切です。

3～6歳への声かけ

子どもが寒い日に半袖で出かけようとしているとします。そのままだとこごえて辛い思いをし、風邪をひいてしまうかもしれません。子どもの様子を伺うことなく真っ先に「上着を着ていきなさい」と言うのが過干渉、そのうえでさらに上着を持ってきてあげるのが過保護にあたります。まずは「半袖で行くのね」などと声をかけて、「外は寒いのかどうか」「自分はどうすべきなのか」を子ども自身に考えさせてあげましょう。

7～12歳への声かけ

学校に行った子どもが家に忘れ物をしていた場合、あなたはどうしますか？「子どもがかわいそう」という気持ちになって届けたくなりますね。ですが、そこはぐっとこらえてください。子どもが辛い思いをするのは子ども自身のせいなので、親はそれを見守ってあげましょう。ただし、他の人に影響がある場合は例外。発表会で使うものを忘れてクラスのみんなに迷惑をかけるというときは、持っていってあげてもいいです。「子どもがかわいそうだから」という理由で手伝うのは我慢して、あとで「どうして忘れ物しちゃったんだろう」「しないためにはどうしたらいいかな」と一緒に考えてあげて、対策を練るという形で協力してあげましょう。

勉強中の貧乏ゆすりをやめさせたいとき

×貧乏ゆすりしちゃダメ！
○床に足つぼマットを置いてみようか

Keyword
認知特性

どうして漢字の書き取りが嫌い？　音読の宿題が嫌い？

「子どもの才能を伸ばしたい」と思ったとき、何からはじめればいいのでしょう？

それは、その子の興味がどこに向いているかを見つけてあげることです。子どもにはもともと「知りたい」「成長したい」という本能が備わっていて、興味を持ったことには徹底的に取り組む性質があります。

注目すべきは、子どもの「認知特性」です。

認知特性とは、外部からの情報をどのように処理をするのか、その特徴や性質のことです。同じ情報を受け取っても覚え方、学び方、解決の方法は子どもそれぞれに違いや特性があります。人によってより処理しやすいものが異なるということです。情報を受け取るものとして大切なものには「視覚」「聴覚」「身体感覚」などがあります。自分の子がどのタイプかを見極めて、その感覚に働きかけてあげることで、才能をぐんと伸ばすことができます。

それでは、タイプを見極めるためにはどうしたらいいか？　普段の子どもの行動を思い返してみてください。それぞれの感覚が優位な子のよくある行動と特徴、親御さんの対応の仕方を挙げてみましょう。

●「視覚」優位の子

〈よくある行動・特徴〉

- （0歳）話しかけながらおもちゃを目の前で振ってみせたとき、動いているおもちゃの方をじっと見る

・（1〜6歳）いつもキョロキョロして、いろいろなものに興味を持つ
・（7〜12歳）長文読解問題が苦手

視覚優位の子は、目から情報を受け取りやすいタイプ。目の前のものに気を取られて「集中しなさい」と言われがちですが、見たものからどんどん吸収する力を持っています。

0歳くらいのときは、**「これは赤いね」「こっちは暗いね。こっちは明るいね」のように視覚情報を語りかけてあげる**といいでしょう。

勉強中、目の前のものに気を取られる場合は、**机を窓向きではなく壁向きにする、机の上を整頓して余計なものがないようにさせる**といいでしょう。

長文読解が苦手な子には、**文章の大事なところに丸をつけて**視覚にうったえかけるようにしてあげれば、理解しやすくなりますよ。

●「聴覚」優位の子

〈よくある行動・特徴〉

・（0〜2歳）話しかけながらおもちゃを目の前で振ってみせたとき、親御さん（＝声の主）の方をじっと見る
・（0〜12歳）音楽を聴くのが好き
・（3〜12歳）おしゃべりが好きで、ずっとしゃべっている
・（7〜12歳）音読が好き

聴覚優位の子は、耳から情報を受け取りやすいタイプ。聞くことが得意なので、じっと聞いているだけでも情報を吸収できます。耳から得た情報が記憶として残るので、話すのが好きという子が多いです。また、勉強自体が得意な傾向も。

0歳くらいのときは特に、**「これはガラガラのおもちゃだよ」「こうやって遊ぶんだよ」「今日はあったかいね」**など、とにかくたくさん話しかけて、聴覚を刺激してあげてください。

3歳以上の場合だと、大人や周りの人が話すことをよく聞いています。赤ちゃん言

葉は使わず、しっかりと論理的に話してあげましょう。

●「身体感覚」優位の子

〈よくある行動・特徴〉

- (3〜12歳) よく暴れまわる
- (4〜6歳) 読み聞かせの時間にも立ったり歩きまわったりする
- (7〜12歳) 勉強中に貧乏ゆすりをしたり、鉛筆を回したりする

身体感覚優位の子は、とにかく動くのが好きなタイプ。体を動かすことが欲求を満たすことや集中すること、心の安定につながっています。

貧乏ゆすりもその子が集中するための手段なので、悪いことではないのです。ただし周りに迷惑をかける場合は、**子どもの足元に足つぼマットを置いて足を動かせるようにする**、ペンを回す音がうるさい場合は、**指に刺激のあるプッシュボールを持たせてあげる**など、対策をとってもいいでしょう。

暴れまわったり立ち歩いたりしてもむやみに叱らず、**ベビーマッサージをしたり体**

をさすってあげたり、体への刺激を送ってあげると落ち着きます。いっぱい体を動かさせてあげましょう。

また、このタイプの子は体験形式で学ぶのが得意。見たことや聞いたことはあまり頭に入らなくても、博物館や動物園に行ったり、実際に電車を見に行ったりすることで、物の名前をどんどん覚えられる子です。

自分の子がどのタイプか、見極めることはできたでしょうか?

子どもの認知特性を理解して、その特性を活かしてあげることで、その子の地力も才能も伸ばしてあげることができますよ。

日々のルーティンをさっさとやってほしいとき

×片づけをする間、遊んでてね
○はい、次はお風呂の準備ね

Keyword
作業興奮効果

行動しはじめるとやる気が出てくる

「やる気が出なくて行動を起こせない」という子どもに、どうやってやる気を出させたらいいか。そんなときは、「作業興奮効果」を狙ってみてください。

作業興奮効果は心理学用語で、やる気がなかなか出ないときでも、とりあえずいったんはじめてみることで継続できるようになるという現象を指します。

たとえば大人でも、「ジョギングしようと決めたのに今日はやりたくないな」と思ったとき。とりあえず外に出て歩いてみると、そのうちに楽しくなって結局走ることができた、ということがあります。

行動することによって脳が刺激され、それによりドーパミンが分泌され、やる気が出るという作用です。つまり、人はやる気があるから行動するのではなく、行動するからやる気が出るときがあるのです。

具体的に有効な手として、「5秒の法則」があります。

何かをやろうとして、「今やろうかな、あとでやろうかな」と考えているうちにやる気が下がってしまうという経験をしたことはありませんか？　行動の前に思考を挟んでしまうことで、心が動かなくなるのです。そこで、何かやろうと思ったら、あれこれ考えずに5秒以内に行動を起こそうというのが「5秒の法則」です。

子どもについても同じです。勉強だったら、とにかく椅子に座ってみるなど、まず行動に移すこと。それを促してあげる声かけが有効です。そうすると、子どものやる気が高まります。

0～2歳への声かけ

夕飯の後片づけが終わったあと、子どもに「お風呂に入るわよ」と言っても「嫌だ」と言われませんか？　多くの親御さんが、後片づけ中は子どもを遊ばせたりしますね。お風呂を嫌がるのは、この夕食後の空いた時間に、やりたいことが見つかってしまったから。そうさせないためには、夕食を食べ終えたら「ごちそうさまでした。はい、次はお風呂の準備ね」とすぐに切り替えること。子どもに考える隙を与えないので、入ってくれる可能性は高くなります。

3～6歳への声かけ

幼稚園や保育園から帰ってきたら、遊ぶ前にまず手を洗ったり荷物を片したりしてほしいですね。そういうときも、帰ったら「ただいま。はい、上着脱いで。はい、手洗って。はい、カバン片づけて」とテンポよく行動を促して、思考の隙を与えないようにしてみてください。そして、全部が終わってから遊ばせてあげましょう。

7〜12歳への声かけ

子どもがなかなか宿題に取りかからないというとき。ここでも、5秒ルールが有効です。学校から帰ったら「はい、カバン置いて。宿題出そうね」「はい、座って。ノート開いて」「じゃあ1問だけ解いてみようか」と促して、「嫌だな」という思考を挟ませないようにするのです。低学年の頃からこれを実践しておくと、家についたらカバンを置いてノートを出して……ということがなんとなく習慣として身につきます。

騒ぐ子どもを静かにさせたいとき

×静かにしなさい！
○1分間話しちゃいけないゲームをしよう

Keyword
選択的注意

なにかに夢中になっているときは、本当に聞こえていない

元気いっぱいでわんぱくな子ども。日頃から活発なのはいいのですが、静かにしなくてはいけない場所や公共の場所で騒いだりしたら困りますね。

そんなとき、「静かにしなさい」「じっとしていなさい」と叱ったりします。叱ってはみたけれど、目が合わなかったり、聞こえてないんじゃないかなと感じることってありませんか？　これ、本当に聞こえていないんです。実は子どもは何かに夢中に

なっているとき、自分にとって重要ではない情報をシャットアウトできるのです。

このような現象を心理学では「選択的注意」と言い、様々な情報が渦巻くような状況において、自分にとって重要な情報のみを選択し、それに注意を向ける認知の特性を指します。

自分の興味のあることに意識が集中する一方、興味のない情報は意識の中に入ってこないということです。


子どもはひとつのものに興味を持つと、それが〝こだわり〟となって、他のことに注意を向けるのが難しくなります。ですので、そのこだわりをキープしたまま、注意が別のものに向くよう促したり、派生的に話題を広げてみたりするなどして対応するのがいいでしょう。具体例を紹介します。

0～2歳への声かけ

2歳頃になると知的好奇心が旺盛になり、たとえば恐竜や電車、国の名前や国旗など特定のものを片っ端から覚える子がいます。親としては「恐竜以外のものにも興味を持ってほしい」と思うかもしれません。そんなときは、「恐竜って色んな形があるよね」「恐竜はあとで動物になったんだよね」「じゃあ動物の図鑑も見てみようか」「この動物ってどこにいるんだろう。日本かな？　アメリカかな？」といった具合に、恐竜を発端として、話題を派生的に少しずつ広げてみるといいでしょう。

3〜6歳への声かけ

冒頭で紹介した、騒いでいる子どもの例について。このような子に静かにするよう伝えたい場合は、「楽しそうだね」「一緒にゲームをしよう」「1分間話してはいけないゲームね」と、子どもの楽しい気持ちをキープしたまま、注意をこちらに向けるというアプローチが効果的です。

こんなケースもあります。この年齢は、活発になって遊びたい気持ちが高まる頃。公園に行こうとして家を出たあと、急に道路に飛び出して車に轢かれそうになった……ということはありませんか？　これは、選択的注意が「公園」や「遊びたい気持ち」に向いていて、認知の中に「道路」や「車」が入ってこないためです。選択的注意が向いていないと、道路や車は視界にも入りません。そんなときは家を出る前に、

「遊びに行く途中に道路があるよね」「車は危ないよね」「家を出たら車を見れるかな？」と、遊びを発端にして車に注意を向けさせましょう。

7〜12歳への声かけ

子どもが勉強嫌いで、なかなかやろうとしないとき。これも恐竜の例のときと同じで、子どもの興味のあることから広げるといいでしょう。「○○が好きだよね。それじゃあ○○も好きだよね、これも覚えてみようか。それじゃあ漢字も覚えられるよね」と、興味を持つポイントとリンクさせてあげるのが効果的です。このとき、「勉強が楽しい」と思ってもらえるように意識するといいと思います。

きょうだい喧嘩ばかりするとき

× どうして弟をいじめるの？ いいかげんにしなさい

○ あなたが大好きよ

Keyword

ゴーレム効果

「どうしてできないの？」と言うと、子どもはますますできなくなる

「どうしてできないの？」

「どうして約束を守れないの？」

「どうしていつもだらしがないの？」


ついつい、こんな言葉を子どもにかけてしまうときってありますね。これらはいわば、子どもの失敗の原因探し。せっかく子どものためを思って言っているのに、あま

り効果的ではなくもったいないです。

親が「どうしてこの子はできないのかしら」と考えれば考えるほど、子どものマイナスの要素が目につくようになります。そしていつの間にか、不安材料が増えて、できないこと探しの迷路に迷い込んでしまうのです。

周りからの期待が低くなるとパフォーマンスも低くなってしまう現象を、心理学では「ゴーレム効果」といいます。これは、62ページでご紹介するピグマリオン効果と逆の効果と言ってもいいでしょう。

子どもに期待する気持ちや信じる気持ちを保てないと感じたときは、うまくいっているとき、つまり成功したときのことを思い出してみましょう。

たとえば「どうしてこの子はお友達に対して意地悪なんだろう」と思ったときは、「どんなときに優しかったかな」と自分の中で思い返してみてください。できないことに目を向けるのではなく、できたときの原因を探すことで解決策が見つかります。

そのためには、常に子どもを観察することが大切です。それにより、できない理由や、どういうときならできるのかということも見えてきます。

他にも、トイレトレーニングに失敗してしまった子どもに「どうして我慢できないの」と言ってしまう、小学校の授業中に立ち歩いてしまう子どもに「どうしてじっとしてられないの」と言ってしまう、勉強に集中できない子どもに「どうして気が散っちゃうの」と言ってしまう……すべて同じです。

「トイレに成功したときはどうしてできたんだろう？」「早めに声をかけたからかな」「立ち歩かないのはどんなときかな？」「厳しい先生のときね」「きっと優しい先生だと甘えちゃうのね」。「勉強に集中しているのはどんなときかな？」「実験や工作は好きみたい」といった感じです。

うまくいかない原因を探すのを控え目にして、うまくいく方法を探してみてください。解決策が見えてくるはずです。

0〜6歳への声かけ

「上の子が下の子にいじわるをするんです」というお悩みをよく聞きます。上の子が3歳くらい、下の子が1歳くらいのきょうだいに多い例です。「どうしていじめるんでしょうか」と親御さんたちは言います。そこで私が「じゃあ上のお子さんはどういうときに優しくなりますか？」と聞くと、「上の子との時間をしっかりとったときです」「私にその余裕があるときです」という答えが返ってきます。親御さんもわかっているんですね。そんなときは、完璧でなくてもいいので、１日10分向き合ってあげて、「**あなたのことが大好きよ**」と子どもに伝えてあげてください。上の子の心も安定するはずです。

7〜12歳への声かけ

小学生の親御さんに多い「子どもが勉強に集中できないんです」というお悩み。そこで私はまた「じゃあ、お子さんはどんなときに集中しますか？」と尋ねます。すると「本を読んでるとき」など答えが返ってきます。つまり、好きなことには集中できるんです。それでは、勉強を好きにさせればいい。「算数やりなさい」ではなく、「好きな科目からやってみようか」「好きなところからやろうか」のように、作戦を変えてアプローチするのもひとつの手です。

お友達と喧嘩をしたとき

×相手は誰？　お母さんがその子に言ってあげる
○そうなの。お友達と喧嘩しちゃったのね

Keyword
3Aの法則

会話のキャッチボールが自己肯定感を高める

みなさんは朝起きてから夜寝るまでに、お子さんとどのくらいの時間会話をしますか？　平均的に見るとおおよそ1時間以内と言われています。1日中一緒にいるようでいて、かなり少ないように感じます。

「おはよう」「早く起きなさい」「ごはん食べて」にはじまり、「おかえり」「手を洗ってね」「カバンを片づけなさい」……。話はたくさんしているものの会話のキャッチ

ボールとまではいきません。

余裕があれば「気持ちのいい朝ね」「どんな夢見たの」「今日は遅かったわね」「そう、お友達と一緒だったの」「お友達ができてよかったね」などと、心の通った会話ができるものです。このように、お父さんとお母さんは自分のことを気にかけてくれている、理解してくれている、応援してくれていると感じられる会話ができると、子どもの自己肯定感がぐんと上がります。そのためには少し工夫が必要です。

心がけるといいのが「3Aの法則」です。子どもが何かに取り組んだときに、3つの〝A〟を意識した声かけをしてあげましょう。

Aの1つめは、「Allow（受け止める）」。まずは子どものありのままを受け止めて、認めてあげること。「今日は遅かったわね」のように事実を口に出して（「実況中継法」とも言います）、子どもの行動を受け止めます。

2つめは、「Adapt（共有する）」。受け止めたあと、「そう、お友達と一緒だったの」「お友達ができてよかったね」などのように、子どもに同意して共感していることを伝えてみましょう。

３つめは、「Add（付け足す）」。少しだけ意見を付け加えて補ってあげます。ただしおせっかいを焼きすぎず、「こうしたらもっとおもしろいかも」「ママ・パパだったらこうするかな」のように、ほんの少し加えてあげるのがポイントです。

具体例を見ていきましょう。

０～２歳への声かけ

１歳くらいの子と外を歩いていて、水たまりをみつけたとします。まず、「水たまりがあるね。昨日雨がふったものね」と事実を口にしてあげます（Allow）。そのあと、「この水たまりは深いかな？　中はどうなってるんだろうね」と気持ちを共有します（Adapt）。そして、「入りたかったら、お靴が汚れちゃうから長靴に履き替えようか」（Add）と付け加えてあげるといいでしょう。

３～６歳への声かけ

子どもがお友達と喧嘩をして、「友達が私のこと嫌いって言ったの」と悲しんでいます。「いけないわね。誰が言ったの？　その子に言ってあげましょうか」と口を挟みたくなりますが、ここでも3Aの法則を使って、子どもがどう感じたかを引き出してあげましょう。

まずは「お友達が嫌いって言ったのね、そうなの」と受け止めてあげる（Allow）と、子どもは「そうだよ。嫌いってひどいよね。さみしくなっちゃった」などと感情を言葉にしてくれます。それには「嫌いって言われてさみしくなっちゃったのね」と気持ちを共有し（Adapt）、「そういうときは、お友達に『そんなこと言われるとさみしくなっちゃうからやめてね』って伝えればいいのよ」と意見を付け足しましょう（Add）。

7〜12歳への声かけ

習い事のピアノ教室の日。子どもが急に「行きたくない」と言い出したとします。親御さんは「ちゃんと行きなさい。お月謝を払ってるんだから」とひとこと投げかけてしまいがち。こんなときも、3Aの法則です。

まず、「そう、休みたいの」と受け止めます（Allow）。すると、子どもは「そうなの。ピアノは難しすぎてできないんだもん」と意見を言います。それには「そっか。

できなくって、行くのが嫌になっちゃったんだね」と、共感（Adapt）しつつ感情を言葉にしてあげます。そして最後に、「できないんだったら、家で一緒に練習してみようか。それとも、先生にもう少し簡単な課題曲にしてもらえるように頼んでみる？」と付け加えてあげる（Add）といいでしょう。

やってもうまくいかないとき

×不安だろうけど頑張って
○あなたならできると思う！

Keyword
ピグマリオン効果

「あなたならできるよ」と言うと本当にできるようになる

「為せば成る」という言葉、聞いたことがあると思います。

武田信玄の詠に由来するとされていますが、「行動すればできる。行動しなければ何もできない」という意味で使われますね。

子どもがひたむきに努力している姿勢をみると、やりたいと思ったことは本当にできるようになるのだなと実感することがよくあります。

ある5歳の女の子が、ブリッジの練習を一生懸命していました。仰向けに寝た状態からブリッジをし、そこから起き上がってくるというもので、ブリッジまではできるものの起き上がろうとすると崩れてしまうという状態でした。その日も親御さんが見守る中何度も練習しましたが、なかなか成功せず、帰る時間になってしまいました。帰り際に「1日10回練習してごらん。3日後にできるようになるよ」と声をかけると、その子は「え～本当？」と言いながら、「練習してみる～」と明るく帰っていきました。

次の日、「先生！ ブリッジできました！ どうしてできるってわかったんですか？」と親御さんから連絡がありました。練習の時点であと一歩という段階でしたが、一番大切なことは「こんなに努力家な子だから絶対にできるはず」と私が信じたことだと思います。私が信じて言った言葉を親御さんが信じて、親が信じたからこそ子どもも「できる」と信じた、その連鎖が成功につながったのだと思います。

これは、「ピグマリオン効果」という現象で説明できるんです。教育心理における現象のひとつで、相手に期待されるとパフォーマンスが向上するというもの。

ある実験があります。AとBの2つの子どものグループがあり、「Aは成績優秀な子どものグループ」、「Bは成績があまりよくない子どものグループ」と教師に伝え、1年間それぞれの授業を受け持ってもらいます。すると、Aの子どもたちは成績が伸び、Bの子どもたちにはあまり成長が見られませんでした。このAとBのグループ、実は、成績にかかわらず無作為に分けられたグループだったのです。教師側がAのグループに対して「この子たちはすごい。もっと伸びるはずだ」と思って教えていると、それが子どもたちに伝わり、成長につながったということです。

親御さんも、自分の子どもを「この子はきっとできる」と、無条件に信じてあげることで、子どもも「できるかも」と思えるのです。親が「できたね！」と思ってそれを伝えてあげると、子どもも「できた！」と思うものです。

0〜2歳への声かけ

「パパ」「ママ」などの言葉を発したり、歩き出したり、できることが増えていく頃です。そのひとつひとつを、「できたね」と一緒に喜んであげてください。それが子どもを信じることにつながり、言われた子どもも「自分はできるんだ」と思えます。

子どもはもともと自信に満ち溢れているもの。小さい頃から「できた」を一緒に喜んであげると、自信のある子に育ちます。

3~6歳への声かけ

初めて幼稚園や保育園に行くとき、「行きたくない」「ママ一緒に行って」と登園しぶりをする子がいます。初めてのことだらけだから不安になるのは当たり前ですね。そんなとき、自分も不安になって「すぐに迎えにくるからね。不安だろうけど頑張って」などと声をかけてしまいますが、この親の心配が子どもの心配を煽ってしまうのです。なので、「**楽しんでね。バイバイ**」とさらりと送り出してあげましょう。子どもはそこまで不安にならず、さみしさも一時的なもので済みます。そのあとお友達と元気に遊んでいれば、「幼稚園は楽しいところなんだ」と自信を持つことができます。

7~12歳への声かけ

小学校に初めて行くときも、同じです。「学校行くのドキドキするな」「一緒に行って」と、不安になる子どももいるでしょう。親御さんとしては「うちの子は大丈夫かしら」「このままなじめなかったらどうしよう」と思ってしまいますが、安心してください。繊細な子は、ただなじむのに時間がかかるというだけ。誰もがすぐにみんなと一緒に遊べるわけではありません。「じゃあ最初の3日だけ一緒に行ってあげるね。でもきっと楽しめるよ」と言って、信じてあげてください。「このままなじめなかったらどうしよう」と親が心配すればするほど、それが子どもに伝わってしまいます。

面倒な日常のことにもポジティブになってほしいとき

×もう寝る時間だよ
○寝るとき、どの絵本読もうか

Keyword
ハロー効果

「寝る時間だよ」と「絵本を読もうか」の大きすぎる違い

夜、そろそろ子どもを寝かせたいと思ったとき、どんな言葉をかけていますか?

「もう9時だから寝なさい」

「9時になったね。そろそろ絵本読もうか」

この2つの声かけは、似ているようで、もたらす効果は大きく異なります。

「もう9時よ。寝る時間だよ」と言われると、子どもは「もう寝なくてはいけないんだ」「寝るの嫌だな」と感じます。一方「もう9時だね。今日は何の絵本読もうか?」と言われると、「どれにしよう?」とわくわくするのです。

つまり、「9時」という時間を伝えるひとつの行為に関して、絵本を読むという楽しい印象が加わると、「9時である事実」「眠るという行為」まで楽しく感じられるのですね。

こうした錯覚を、心理学で「ハロー効果」と言います。

ハロー効果とは、特定のポジティブな感情を抱いたときに、別の現象もそれにつられてポジティブに評価してしまうこと。またはその逆で、特定のネガティブな感情を抱いたときに別の現象もそれにつられてネガティブに評価してしまうこと。

ハロー効果のハローとは、「聖人の頭上に描かれている光の輪」、つまり天使の輪です。天使の輪がついていると無条件で聖なる人という印象を受けますね。それが転じて、ある一部分の印象が強いとそれに引きずられて偏った見方をしてしまうという錯覚のことを言うのです。

同じ寝かせようとする声かけでも、「もう9時だね。絵本読もうか」「今日はどの絵本を読む？」のようなポジティブな声かけをされると、子どもも「わかった。じゃあこれ読んで！」などと元気に反応してくれるでしょう。

言葉の使い方はすごく大切です。ポジティブな言葉がけを意識してみてくださいね。

0〜2歳への声かけ

身の周りのお世話に手がかかる大変な時期ですが、頑張り過ぎて真顔になっていませんか？　おむつを替えて「すっきりしたね」、離乳食を口に入れたら「おいしいね」と笑顔で声をかけるようにしましょう。

3〜6歳への声かけ

4歳はしつけをはじめるのに適した時期です。「好き嫌いせずに食べなさい」と叱るより「バランス良く食べると体が強くなるんだよ」のように、メリットを伝えるようにしましょう。

7〜12歳への声かけ

学校から帰ってきたときに、水筒をキッチンに出して、汚れた体操着は洗濯カゴへ。こんな習慣があれば親としては大助かりです。「〇〇してくれたらお母さん（お父さん）すごく助かる！」と伝えてみましょう。実行してくれたらすかさず「ありがとう」と伝えることで、役に立てたというポジティブな印象が残ります。

COLUMN #1

健全に子どもが育っているかわかる「あいうえお」

子育ての正解ってなんでしょう？

私は、正解はないと思っています。子ども一人ひとりに個性があり、持っている才能も違うのですから、当然、その過程での接し方、才能の引き出し方は違うはず。正解がないからこそ、試行錯誤するのですね。

ただ正確に言うと、「子育ての方法に正解はない」けれども、「子育てのゴールには正解はある」のです。

そのゴールは何かというと、「笑顔」です。笑顔は自信の表れと言われています。自分の人生を自ら選択し、その人生を味わい尽くすこと、つまりどんな形でも「幸せ」を感じて笑顔でいてくれたら嬉しいですね。

「勉強もできてほしい」「運動もできてほしい」「優しい子になってほしい」「努力できる子になってほしい」……子どもに望むことは多いけれど、それでも「うちの子はちゃんと育っているのかな？」と不安になることがありますよね。

そんなときは子どもが元気に健全に育っているかどうかを確認できる5つの指標を

思い出してください。それが、次の「元気な子を育てる『あいうえお』」です。

あ＝（よく）遊ぶこと
い＝意欲的であること
う＝運動すること
え＝笑顔でいること
お＝お話をすること

●あ＝（よく）遊ぶこと

遊びとは社会性を学ぶ第一歩と言われています。よく遊ぶこと。それは人との関わり合いを学ぶ大切なステージです。人とただ仲良くするだけではなく、もめたり喧嘩をしたりしながらも、自分の意見を言って折り合いをつけていく。

そうした経験があるからこそ、コミュニケーションの基礎が養われていくのです。

●い＝意欲的であること

これは、あらゆることに興味を持てるかどうか、感受性があるかどうかを意味します。太陽を見て「まぶしい」と感じ、風鈴の音を聞いて「すずしい」と感じ、レモンを食べて「すっぱい」と感じ、カメムシを触って「くさい」と感じ、お風呂に入って「あったかい」と感じるか。これらの五感(視覚・聴覚・味覚・嗅覚・触覚)に関わる感性が、学びの原点になります。

●う=運動すること

これは、日常的に体を動かしているかどうかを意味しています。心と体は連動していて、体を適度に動かすことで心も健全に育ちます。運動と言っても、スポーツに取り組んでいなければいけないという意味ではありません。保育園や幼稚園に歩いて通っているとか、休みの日は公園で遊んでいるとか、犬の散歩をしているとか日常的な活動で十分です。もちろん部活動などのスポーツも、定期的な運動習慣がつくのでおすすめです。本人がやりたいと言ってきたらやらせてあげるといいでしょう。

運動は、「お父さんにキャッチボールをしてもらっていた」「公園でサッカーをした」などの楽しかった気持ちや思い出とつながるので、楽しい運動習慣を作ってあげるといいですね。

●え＝笑顔でいること

これは言葉の通り、子どもが普段よく笑っているかどうかです。笑顔は自信の表れです。「楽しいから笑うのではなく、笑うから楽しくなる」とも言われる通り、意識して笑顔になれる環境を作ることで、幸せな心の状態を維持することが可能になるものです。

●お＝お話をすること

自分の気持ちを言葉で伝えられるかどうか、そして人の話を聞けるかどうかということです。人は自分の気持ちをわかってほしい、理解してほしいという欲求を根本的に持っています。「ママ見て！」「パパできたよ！」といった自己主張からはじまり、「悲しい」「嬉しい」といった感情表現が上手にできるようになると、心が安定するものです。

また、相手の話を聞けることも大切です。一方的に話すだけでは、ただの欲求発散になってしまいます。話を聞ける子にするには、その子にとって楽しい会話を親が心がけるといいです。遊んでいる子どもに「楽しそうなことをやってるね。何やってるの？」「ママ・パパのやっていることはどう思う？」と声をかけてあげるなど、普段の会話を大切にしてみてください。

この5つがバランスよく当てはまっていれば、健全に育っていると言えるでしょう。年齢別に、5つのうち特にどれに注意すればいいかをお伝えします。

0〜2歳への声かけ

まず1歳は、「う」（＝運動すること）を意識しましょう。1歳は運動能力が伸びる時期。散歩に出かけたり、たくさん体を動かす遊びをしてあげたりしましょう。

2歳で意識したいのは、「お」（＝お話をすること）。この頃の子どもは、言葉を覚えていろんなことを話そうとします。親は赤ちゃん言葉を使わず、大人のしっかりとした言葉で話してあげましょう。「あ、お花が咲いて綺麗だね」「黄色いお花が咲いてるね」など、情景を細かく説明する言葉を使ってあげるといいです。

3〜6歳への声かけ

3歳は自立期と言われる時期です。「い」(=意欲的であること)を意識して、何事も一生懸命取り組んでいるかを見てあげましょう。「お手伝いしたい!」「お料理したい」「靴紐は自分で結ぶ」のように自分で色々なことをやろうとしますが、それを応援してあげてください。失敗しても見守ってあげましょう。

4〜6歳で意識したいのは、「あ」(=よく遊ぶこと)。遊びは、社会性のスタートで、コミュニケーションや人間関係のルールを学ぶ場でもあります。お友達とたくさん遊ばせてあげるといいですね。

7〜12歳への声かけ

体も心も成長し、悩みも出てくる時期。まず意識したいのが「え」(=笑顔でいること)。笑顔は自信の表れ。常に笑顔があるかどうかを確認してあげましょう。ムスッとしてあんまり笑わなくなったというときは、何か悩みがあるかもしれません。

また、「お」(=お話をすること)も大切です。小学生になると、色んな感情を抱くようになります。しかし、なかなかそれを上手に人に伝えることができません。特に友達や学校に関する悩みは、親に話さない子どもが多いです。ですので、おうちの中でお話をする習慣を作ってあげましょう。食事は家族全員でとってその間は会話をする、リラックスできて本音が出やすいお風呂の時間に話してみるなど、タイミングを見極めて声をかけてみましょう。

第2章

子どもの知能と才能を伸ばす一言

柔軟な発想を身につけさせたいとき

×食べ物で遊んじゃだめ！
○こっちの粘土で遊んでみようか

Keyword
ひらめき力

賢い子が共通して持っている「ひらめき力」とは？

将来のために、子どもに今どんなことをさせておけばいいのか？　そう考えている親御さんが多いと思います。

これからの子どもに求められるのは「ひらめき力」です。ひらめき力を持った脳をひらめき脳、またはクリエイティブ脳と呼んだりもします。

人の頭の中には、目で見たり耳で聞いたりして得た膨大な量の情報があります。何か課題に直面したとき、その情報の中から必要なものを選んで課題解決へと導く力、それがひらめき力です。「ひらめき」や「クリエイティブ」と聞くと、〝0から1を生み出す力〟をイメージしがちなのですが、実はそうではなく、〝すでにあるものから最適なものをピックアップして結びつける力〟のことを言います。

ひらめき力を育てるためには、まず情報量を増やすことが必要です。ここでいう情報は、残念ながら勉強ではなかなか得ることができません。勉強によって得られる内容はすでに整理されたものであるため、記憶力を伸ばすことはできても、ひらめき力を育てることはできないのです。

ひらめき力を育てるのに大切なのは「体験」です。さらに言えば、五感をバランスよく使った体験がベスト。

それは、たとえば子どもが外で遊んでいて「この場所はちょっと暗いな」「地面を触ると冷たいな」「ここが日陰だからだ」と感じ取るというような、自分のあらゆる感覚を使った体験ということです。体験で得られる情報は、勉強で得られる情報とは違い、あまり意識せずにインプットされていることが特徴です。ただ道を歩いたり、空を見上げたり、そういった日常の何気ない行動のなかで得られるものなのです。

また、興味深いことにひらめきは制限を受けた状態では起こらないのです。ひらめきは、完全に自由な状態でのみ起こるもの。時間制限があったり、「ああしなさい」「こうしなさい」のような抑圧があったりすると、ひらめくことはできません。

一緒に外を歩いていると、子どもは落ちている葉や枝を拾ったり、土をいじったり、虫を探したりしますね。そんなときは「汚いから触っちゃだめ」と言わず、黙って見守ってあげましょう。そして歩きながら、「葉っぱや土が濡れてるね」「雨が降ったからだね」のように声をかけてあげましょう。

道草は学びです。

私たちは「学び＝勉強」と捉えがちですが、日常のあちこちに学びはあります。わざわざ遠いところに出かけるよりも、毎日の送り迎えや買い物に一緒に歩いて行くなど、日常のなかに組み込んでいく方が断然効果的です。あまり自分で意識せずに得た（＝五感を使って得た）情報量が多い子どもほど、ひらめき力を持っていると言うことができます。

0〜2歳への声かけ

1歳くらいの子は特に、ごはん中に食べ物をつぶしてみたり投げてみたり、遊び食べをよくします。つい「食べ物で遊んじゃダメ」と怒ってしまいがち。

この年頃は「実験期」とも呼ばれ、何かを試したくなる時期です。何かを触ったときに「やわらかいな」「握るとつぶれるんだな」「形が変わるんだな」と、小さいひらめきによって行動を起こしています。この実験を自由にさせてあげることが大切です。

とはいえ、食べ物で遊ぶのはお行儀が悪いですね。そんなときは、**「こっちの粘土で遊んでみようか」**と粘土を与えてみたり、どろんこ遊びや水遊びをさせたり、代わりのもので実験させてあげるのがいいですね。

3〜6歳への声かけ

この頃の子どもは、日常生活で耳にする言葉からのインプットがとにかく多いです。普段の家族の会話でも、今日あったことでも、ニュースでやっているような大人っぽい話題でも、とにかくたくさんの情報を会話に入れてあげましょう。たとえば、「桜の開花が歴代2番めに早いんだって。今年は暖かくなるのが早かったものね」など、情報を足してあげるといいです。

7〜12歳への声かけ

ひらめき力を育てるためには、読書も有効です。本からは、日常では経験できないような情報をインプットすることができます。小学生のお子さんにはとにかく本をたくさん読ませてあげてください。たとえば、虹が見える仕組みについて質問されたら、「天気の本があるけど読んでみる?」とすすめてみましょう。興味のある分野から入ると読書へのハードルが低くなります。

壁をやぶるアイデア力をはぐくませたいとき

×この色とこの色を混ぜたら好きな色になるよ

○頑張って描いてみようね。どうしたらできるかな？

Keyword
エウレカ効果

子どもの「わかった！」「できた！」がひらめき力を伸ばす

前の項目でお話しした「ひらめき力」について、もう少し詳しくお話しします。

パズルの最後のピースが埋まったときや、知恵の輪が解けたとき、思わず「わかった！」「できた！」と口に出して言ってしまったという経験はありませんか？　同時になんだか清々しい気分になるものです。これがひらめきの瞬間です。

それまでわからなかったことがわかったとき、できなかったことができたとき、脳から「ドーパミン」という快楽や多幸感を感じるホルモンが分泌されると言われています。これを「エウレカ効果」と呼びます。「エウレカ」は、ギリシャ語で何かを発見したときなどに使われる感嘆詞で、日本語で言うと「やった〜」「わーい」のような意味合いです。エウレカ効果はアハ体験と言われることもあります。

エウレカ効果が起こったときに分泌されるドーパミンは、いわば〝やる気のもと〟。分泌されると、無意識のうちに喜びや楽しい気持ちとリンクします。

「たまたま起きた出来事を知覚する」ことがひらめきの引き金になっているため、いつ起こるかの予測もできなければ、意識的に引き起こすことは難しいとされています。リラックスしたポジティブな心の状態であれば、なおさらひらめきが起こりやすいでしょう。ひらめき力を伸ばしたければ、子どもの「できた！」や「わかった！」を引き出すような経験をさせてあげるのが効果的です。

0〜2歳への声かけ

知能が著しく伸びる2歳頃。パズルや間違い探しなど、頭を使う遊びをたくさんさせてあげましょう。こういった遊びは、ピースが埋まったり間違いがわかったりしたときにドーパミンが出て、エウレカ効果を体験できます。「この2つの絵で、どこが違うかわかるかな？」と、一緒に遊びながらやってあげましょう。

3～6歳への声かけ

言葉も発達してきて、色んなことが考えられる年齢です。そんな子どもには、なぞなぞが効果的。「食べるとお父さんを嫌いになっちゃう果物はなんでしょう？」「食べると安心するケーキはなんでしょう？」のように、たくさんなぞなぞを出してあげてください。ちなみに答えはパパイヤと、ホットケーキです。

7～12歳への声かけ

子どもが「紫色を塗りたいけど紫色の絵の具がない」と困っていたとします。そんなときは「紫色を作ってみようか。どうしたらできるかな？」と応援してあげましょう。すると、子どもが自ら赤色と青色の絵の具を混ぜたら紫色になることを発見したりします。大人にとっては当たり前でも、子どもにとっては発見なのです。このとき、子どもの中では「できた！」と新しいひらめきが起こっているのです。

×ちゃんと残さず食べなさい！
○これおいしいね

Keyword
効果の法則

AIに勝てる大人になるために「個性」を才能へと導く

子どもの将来を考えたときに避けて通れないのが、AIの存在です。

AI化が進むことで、10年後には今ある職業の半分はなくなると言われています。私たち人間にできることの多くがAIに取って代わられるということです。

一方で、絶対に取って代わられないものもあります。それが人間の強みであり、これからはその能力を持っている子どもが強くなっていくでしょう。

その強みとは、「感情」や「感性」です。「ロジック&エモーション」という考え方があります。ロジックは論理的な力、エモーションは感覚的な力を意味し、人間はそのどちらも持ち合わせているということです。

ロジックの方は、残念ながらＡＩに勝つことはむずかしいでしょう。そうなったとき、情報の記憶や処理などの論理的な活動はＡＩに任せて、感情や感性といった人間だけが持っている能力に目を向けることが大切です。

感情や感性に関わるものとして「個性」があります。

勉強が好きな子、運動が好きな子、お絵かきが好きな子、にんじんが嫌いな子、お風呂を嫌がる子というように、子どもの行動を決める原点には「好き」「嫌い」の感情があると言われています。「好き」「嫌い」は心理学では「快」「不快」という言葉で表現しますが、人間には、好き、つまり心地よいと感じた経験は繰り返そうとし、嫌だ、不快だと感じた経験は避けようとする性質があります。これを「効果の法則」と呼びます。

五感で感じる力（＝感性）や、好き嫌いといった感情、そしてそれによって生まれる「個性」。そしてその経験を強化することが、才能を伸ばすことにつながります。

0〜2歳への声かけ

子どもの食べ物の好き嫌いは、快・不快の感情と結びついています。小さい頃に「食べなさい」と無理やり食べさせられたものは嫌いになり、誕生日や外食時など楽しい場面で食べたものは好きになる傾向があります。子どもに好き嫌いなく食べさせたいと思ったら、「これおいしいね」「みんなで食べると嬉しいし、楽しいね」のように、「おいしい」「嬉しい」「楽しい」という快の感情に結びつくような言葉をかけてあげるといいでしょう。

3〜6歳への声かけ

4歳くらいになると、子どもは努力や我慢ができるようになります。あらゆる場面で「頑張りなさい」「我慢しなさい」と声をかけたくなりますが、無理やりやらされたり我慢させられたりすると「嫌だなあ」という感情に。それにより、努力すること＝嫌なことという意識を、子どもに植えつけてしまいます。大切なのは、努力する喜びを体験させてあげること。「たくさん練習したから最後まで踊れたね」のように、喜びや達成感を感じるような言葉をかける習慣をつけるといいです。また、達成しやすいように、ハードルの低い課題を設定してあげるのも効果的です。

7～12歳への声かけ

小学生の勉強についても同じ。勉強ができる子とできない子がいますが、それは頭がいいか悪いかではなく、「勉強＝楽しいこと」と思っているかどうか。難しい問題をやっていつもできない、できなくて親に怒られるなどの習慣がある子は、「勉強＝怒られること」であり、不快の感情と結びついてしまうのです。

快の感情と結びつけるには、まず小さいステップを乗り越えさせてあげること。それにより達成感が出ます。できたら、「できたじゃん！　やったね」「解けて嬉しいね」のように、嬉しい気持ちとリンクするような言葉をかけてあげましょう。

×何してるの、拭きなさい！
○片手で持ったからこぼしちゃったね

Keyword
RQR法

「自分の頭で考える」を促す会話とは？

子どもが何か失敗したり悪いことをしたりしたときに、親は頭ごなしに叱ってしまいがち。ですが大切なのは、悪いことをしたと子どもに認識させるよりも、「どうしたらそれを繰り返さなくなるか」を考えられるよう促すことです。

そのために、普段の会話で心がけるといいのが「RQR法」です。これは、Repeat（リピート）、Question（クエスチョン）、Request（リクエスト）の頭文字をとったもので、この3つを段階的に行うことで、自分の頭で考える子に育ちます。

まずリピート（＝繰り返す）では、子どものしたことを口に出して繰り返すことで、自分がしたことを認識させます。そしてクエスチョン（＝質問）では、親御さんが質問を投げかけることで、子どもが自分で考えるようになります。そしてリクエスト（＝提案）では、解決策を提案してあげることで子どもの問題解決力が向上します。


たとえばきょうだいげんかをした場合、大人は「叩いちゃだめでしょ。謝りなさい！」などと言ってしまいがち。ここでRQR法を使ってみてください。

まず、「お兄ちゃんが叩いた〜」と泣きついてくる弟に、「お兄ちゃんが叩いたのね」とリピートします。「痛いよ〜」には「痛かったのね」と続けます。ここで、弟はお兄ちゃんに叩かれて痛かったという感情を認識し、かつ、お父さんお母さんに感情を受け止めてもらったことで満足します。

そこで「どうしてお兄ちゃんは叩いたのかな？」とクエスチョンし、子どもの反応を待ちます。「僕がおもちゃを使いたかったの。でもお兄ちゃんはダメって言うの」と返ってきたら、「そう。おもちゃを使いたかったのに、ダメって言って叩いたのね」

と続けてあげます。

ここまで会話が進んだら、最後に「おもちゃを使いたいときは、貸してって言うといいよ」とリクエストして、改善策を見つけてあげます。このような流れを親の方から作ってあげると、自分の頭で考えられる子になります。

0〜2歳への声かけ

この頃の子どもは、クエスチョンを投げかけても「わからない」と答えることが多いので、リピートを重点的にしてあげて、自分の感情と行動がどのように関連しているかを認識させてあげてください。そして、最後にちょっとしたリクエストを伝えてあげましょう。

2歳くらいの子が、ぐちゃぐちゃになった折り紙を持って泣いているとします。おそらく折り紙がうまくできなかったのでしょう。まずは「折り紙が上手にできなかったのね」とリピートします。感情が少しおさまると、子どもは「○○を作りたかったのに、うまくできなかった」などと返してくれます。「そう。○○が作りたかったのね」と再度リピートしてあげて、その後にリクエストをします。「そういうときはママ・パパに『一緒にやって』って言ってもいいのよ。『手伝って』でもいいし、『代わりに作って』でもいいのよ。どれにする?」と選ばせてあげるのもいいですね。

3~6歳への声かけ

子どもがテーブルに牛乳をこぼしてしまったとします。「何してるの、すぐ拭きなさい!」と叱るのではなく、「片手で持ったらこぼしちゃったね」(リピート)と言ってあげましょう。すると子どもは「片手で持ったからこぼしたんだ」と認識できます。「これからどうしようか?」(クエスチョン)と言ってあげると、「きれいにする」と言う子もいます。泣いて「わかんない」と言う子には「きちんと拭けばいいのよ」(リクエスト)と教えてあげれば、こぼしたら拭き取ればいいことがわかるようになります。

頭ごなしに叱って「あなたが悪い」ということを伝えるより、「失敗しないためにはこうしたらいいんだよ」「誰でも失敗することはあるんだから、もし失敗してもこうしたらいいよね」ということを伝えてあげましょう。

7〜12歳への声かけ

小学5年生の子どもが野球の練習から帰ってきて、「お母さんおなかすいた」と言ってきたとします。そこで「そこにおやつあるわよ」と返すと会話は終わってしまいます。もっと、自分の意見を伝えてお願いすることを促す会話を心がけてください。

「お母さんおなかすいた」「**そう。**おなかすいたのね」「今日は練習でたくさん走ったからさ」「**そう。たくさん動いたの。それじゃあおなかすくわよね**」と、リピート形式で続けていきます。ここまでくれば、子どもは「何か食べるものある？」と聞いてくるはずです。ここで初めて「**あるわよ**」と答え、「食べていい？」と聞いてきたら「**どうぞ**」と返してあげましょう。

子どもがまだ話していないうちに、親が察知して先に行動してしまうと、自分で考える力がつきません。リピートやクエスチョンをしっかりしたうえでリクエストをしてあげると、自分の意見をはっきり主張する力が伸びます。

少しでも前に進んでほしいとき

×ちゃんと全部食べなさい！
○一口だけ食べようね

Keyword
シェイピング効果

目標を小さく区切ると、やる気が育つ

何にでもチャレンジするやる気のある子。そう聞くとなんだか頼もしく有能な子のような印象を受けますね。では、このやる気とはそもそも何でしょう？　そしてやる気はどうやって起こるのでしょう？

大人でも、今日はやる気がでないなと感じるときがあるものです。「掃除しなくてはいけないいけどしたくない」「食事の準備をしなくてはいけないいけどしたくない」「雑

務が溜まっているけどしたくない」そんな日もあるはずです。

やる気には、3つの要素があると考えられています。それが「好奇心」「継続力」「集中力」です。これは、「すぐにはじめられるか」「続けられるか」「夢中になれるか」と言い換えられます。これらの力をどうやったら育てることができるでしょうか。

おすすめなのが「シェイピング」という方法です。シェイピングとは、目標を小さな段階（スモールステップ）に分けて設定し、達成感を得ながら徐々にステップアップしていく方法のことです。

子どもは、多くのことを一気にやらせようとしてもやってくれません。多くの親御さんは、子どもを1時間くらい机に座らせて勉強させようとします。しかし、1時間という時間は子どもにとって長すぎるのです。1時間連続してやらせるよりも、「5分間で10問やってみようか」のように「短い時間でどれだけできるか」ということをさせてあげた方が効果的です。

時間を区切るなどして目標を小さくすると「すぐにはじめる」ことができ、少しずつ達成できるようになるので「続ける」こともできて、達成感があるので「夢中になる」こともできます。これがやる気につながります。

人は「やる気がないから行動しない」と思われがちですが、実は逆なのです。まず行動することでやる気が出て、継続できるようになります。最初の一歩を踏み出すお手伝いをしてあげてください。

0~2歳への声かけ

主に1歳以上の子について、あらゆる場面で「できない」「嫌だ」と言ったら、一歩ずつ、を意識してください。ごはんを食べたがらなかったら「全部食べようね」ではなく「一口食べようね」。お着替えを嫌がったら「腕だけ通してみようか」。片づけをしたがらないときは「お人形さんだけおうちに帰してあげよう」のような言葉をかけてあげるといいでしょう。

3~6歳への声かけ

「子どもがトイレまでおしっこを我慢できない」という悩みを持つ親御さんが多いです。ここでもスモールステップ法が効果的。トイレトレーニングにも、尿意に気がつく、「おしっこしたい」と言える、トイレまで我慢できる、の三段階があります。

最初から第三段階ができる子は多くありません。第一段階では、子どもがもぞもぞしだしたら「おしっこだね」と気づかせてあげれば合格。子どもが「ママ・パパおしっこ」と言えたら、「よく言えたね！」と褒めてあげる。そのあとは、トイレより手前にオマルを置いて、オマルとトイレの距離を徐々に短くしてあげる。小さな段階を踏ませてあげることで、子どもに達成感が生まれます。

7〜12歳への声かけ

「子どもが勉強に集中できないんです」というお悩みをよく聞きます。そういう子どもにこそ、スモールステップ法が最適。算数だったら「1問やったら見せてね」、漢字の書き取りだったら「1文字書いたら見せてね」というように、課題を細かく区切ってあげましょう。

YouTubeやゲームをやめさせたいとき

×いますぐやめないと取り上げるよ!
○今日は何分見る? 自分でタイマーかけてね

Keyword
ポモドーロ・テクニック

自分で宣言するから頑張れるタイマー管理術

子どもがテレビを見てばかり、YouTubeを見てばかり、ゲームをしてばかり……、そんなおうちも多いかと思います。そんなとき「見るのやめなさい!」「そろそろ勉強しなさい!」と言ったりしますが、なかなか「はい、わかりました!」とは言わず、「もう少しだけ」とだらだらと続けてしまうものです。

こんなときは、「タイマー管理術」をおすすめします。

これは「ポモドーロ・テクニック」という時間管理術をベースにしたもので、やるべきことを短く区切った時間の中で実践していくというものです。「ポモドーロ」とはイタリア語でトマトの意で、ポモドーロ・テクニックを発案したフランチェスコ・シリロ氏が使っていたタイマーがトマトの形をしていたことが由来になっています。

たとえば子どもがYouTubeを見ようとしたら、「今日は何分見る?」と聞いて、子どもに時間を決めさせるのです。子どもが「30分」と決めたら、子どもに自分でタイマーを設定させます。

このとき、「今日は30分だけね」「約束よ」などとこちらが時間を決めてしまうのは避けたいものです。約束とは両者の同意があって成立するもの。子ども自身が納得していない場合は、30分たっても子どもはやめようとしないでしょう。

しかし、自分で決めて自分でタイマーを設定することで、いざタイマーが鳴ったら「自分で決めたことだから」という気持ちが働いて、納得してやめることができます。

なぜタイマーがいいかというと、テレビやYouTubeを見ている間、子どもの視覚は画面に奪われています。なので、視覚ではなく聴覚に訴えかけるのがいいのです。

0～2歳への声かけ

幼い子の場合は、視覚に訴えても効果があります。たとえば、夕飯のあと、子どもがテレビを見ていてなかなかお風呂に入ろうとしないことはありませんか？ そんなときは「このお話をおしまいまで見たらお風呂に入ろうね」と声をかけ、10分くらいの短い録画やDVDなど、ある程度の時間がたったら自動的に終わるものを見せるといいでしょう。目の前でビデオが終わると、子どもも「終わったんだ」と認識することができます。

3～6歳への声かけ

この時期の子が集中できる時間は、12～15分と言われています。そのくらいの時間を、タイマーを押させて設定させてあげましょう。これくらいの年齢の子は、タイマーを「押す」こと自体にとても興味を持つので、「スタートボタンを押してくれる？」と声をかけると楽しんでやってくれるでしょう。「このタイマーがピピって鳴ったら終わりだね」と声をかけましょう。

7〜12歳への声かけ

小学生になると、時間を決めて約束するだけではなく、学習にもポモドーロ・テクニックを活用しましょう。たとえば漢字ドリルの書き取りの宿題の場合、全部で18問ある漢字ドリル1ページの取り組みを6問ずつ3回に分けます。6問まで書けたら2分休憩、12問まで書いたらまた2分休憩。そして最後まで。このように取り組むと「1ページ全部やりなさい」と言うより集中力を保って取り組むことができます。ゲーム感覚で「1回戦、よーいはじめ！」と声をかけると、俄然集中して取り組めますよ。

集中してなにかをやってほしいとき

×今すぐにやりなさい！
○友達と遊びに行くまでにやろうね

Keyword
ゾーン

究極の集中状態ゾーンに入るために、制限時間をつくる

「集中力のある子」と聞くと、みなさんはどんな子を思い浮かべるでしょうか？

1時間も2時間も何かをやり続けられる子が集中力があると思われがちなのですが、そうではありません。私は、集中力のある子＝「短時間の間にぐっとゾーンに入れる子」であり、そのような子が「地頭がいい子」だと考えています。

子どもが宿題をやっていると思ったら、窓の外を眺めてぼーっとしていたり、消し

ゴムを鉛筆でつっついていたり……。そんな光景を目にすると「集中しなさい！」と言いたくなります。でも、集中ってどうやったらできるのでしょう？

集中できないのには、2つの要因があります。1つめが外的要因、つまり外からの刺激です。勉強しようと思ったけど、窓の外で猫が鳴いている、急に雨が降ってきたなど、自分以外に気になることがあって集中できないとき。こちらはカーテンを閉める、耳栓をするなどで対処できますね。

2つめが内的要因。自分に関して気になることがあるとき。こちらの場合は、明確なゴールを設定し、ある程度の時間制限を設けることが有効です。無限に時間があると今やる必要性が感じられず、やる気は出てきません。締め切り直前になってやる気が出るというのは、大人にもよくあることですね。子どもも同じなのです。

0〜2歳への声かけ

2歳を迎える前後くらいから、集中できる時間が増えてくる頃。座り込んで何かおもちゃをいじったりしているときは、自分だけの世界に入っているとき。「何してるの？」と声をかけたくなる場面ですが、そこは声をかけずに静かに見守ってあげましょう。それにより、集中力が身につきます。視界に入らないようそっと部屋を出て、子どもが我に返って声をかけてきたら、対応してあげるようにするといいでしょう。

3～6歳への声かけ

このくらいになると、パズルやブロックで遊んだり、図鑑を読んだりと、頭を使う遊びに集中するようになります。こういったときも、同じく見守ってあげましょう。この年齢のうちに集中力をつけておくと、小学校に上がったときに学力が伸びやすくなります。

7～12歳への声かけ

小学生になると、やはり勉強に集中してほしいもの。たとえば宿題をやらせたいときは、「友達と遊びに行くまでにやろうね」「夜寝る前の30分でやろうか」のように、制限時間を設ける形でタイミングを決めるといいでしょう。朝早く起きてからやるのも効果的です。「宿題が終わったら一緒に買い物に行くから、頑張って終わらせてね」のように〝楽しい制限時間〟を設けるのもいいですね。

×早く宿題やっちゃいなさい
○宿題をやる間に私も家計簿つけちゃお！

Keyword
エンドルフィン

子どもの「やる気スイッチ」の押し方

子どものやる気を出させるには少しの「できた」を積み重ねるといい、とお話ししました。ここでは、さらにやる気を高める方法をご紹介したいと思います。

鍵となるのが「エンドルフィン」という幸せホルモン。お伝えしたように、やる気のもととなるホルモンはドーパミンです。この2つのホルモンが分泌されたとき、ドーパミンだけが分泌されたときに比べて、やる気が何倍にも跳ね上がります。

それでは、エンドルフィンはどんなときに出るホルモンなのでしょうか。

まず、子どものやる気の上がり方には3つのステップがあります。

はじめのステップは、自分の「やりたい」「好き」という気持ち（自分のため）。次のステップは、達成感や「褒められたい」という気持ち（報酬のため）。そして3つめのステップが、共感や「人と一緒にいて楽しい」という気持ち（人のため）。

ドーパミンが分泌されるのは、2つめのステップまで。3つめのステップの〝人との関わり〟という条件が加わったとき、初めてエンドルフィンが分泌されます。そして、やる気は一気に何倍にも高まるのです。

0～2歳への声かけ

ハイハイができた、たっちができた、歩きはじめたなど、できるようになることが多い頃。親が「できたね」と喜んであげることで、子どものやる気もアップします。どんな小さなことでも、「できた」を見つけて一緒に喜んであげましょう。

3～6歳への声かけ

子どもがひとりで遊んでいるときに「ママも一緒にやろう」と誘ってきたりしますね。そういうときはぜひ「じゃあ、ママと一緒にこのぬり絵を完成させようか」と一緒に遊んであげてください。達成感を共有することもやる気につながります。つきっきりで遊んであげるのは難しいかもしれませんが、たとえば1日10分と時間を決めるなどして、その間は全力で向き合ってあげるのがいいですね。

7~12歳への声かけ

勉強についても、「自分のためにやる」より「友達と一緒にやる」などのモチベーションがあった方が、さらにやる気に火がつきます。「あなたが宿題をやる間に私もお仕事やっつけちゃうわ」のように同じ空間で一緒に作業をしたり、「どっちが早く終わらせられるか競争だ」のようにしたりすると、子どもは一生懸命宿題をしてくれるでしょう。

また、エンドルフィンは、運動することでも分泌されます。その場でジャンプをさせたりするとやる気が倍増するので、子どもが勉強に集中できないというときは試してみてください。

テストの点数が悪かったとき

×平均点より低いじゃない
○前回より10点もよくなったね

Keyword
幸せのパラドックス

他人と比べない。比べるべきは過去の子どもの姿

隣の子は同じ月齢なのにうちの子より早く歩いたとか、同じピアノ教室に通っているのにお友達の方が先の課題に進んでいるとか、子育てをしているとつい自分の子の成長をほかの子と比べてしまうものです。比べるのはよくない……。それはわかっているけれど、意識しないのはなかなか難しいですね。

以前わが子が、学校のテストで40点をとってきました。その点数を見た瞬間、さす

がに「低い！」と感じましたが、もしかしたらテスト自体が難しかったのかもしれないと思い、「平均点は何点だったの？」と尋ねました。すると「いつも人と比べちゃいけないって言ってるじゃん。何で聞くの？」と切り返されました。まさにその通りですね。

幸せのパラドックスという考え方があります。幸せの感じ方には、「相対的幸福感」と「絶対的幸福感」という2種類があるというものです。

相対的幸福感とは、人よりも勉強ができるとか運動ができるといった、他人と比べて得られる幸福感のこと。絶対的幸福感とは、家族に愛されている、大切な仲間がいる、夢中になれることがあるなど、自分自身の中から得られる幸福感のことです。相対的幸福感は環境によって変化するけれども、絶対的幸福感は安定しているのです。他人と比べて得た優越感よりも、自分自身の中で得られた満足感の方がずっと幸福を感じやすいということです。

先ほどのテストの話に戻りますが、仮に平均点が60点だったとします。平均点より低いので、他人と比べるとちょっと悪いかもしれません。でも、前回のテストの点数が30点だとしたら、確実によくなっていますね。30点が40点になったのなら、次は50点になるはず、と考えるのです。他人や平均値ではなく、過去の子どもと比べてどのくらい成長しているのかを見てあげるのです。子どもは必ず成長しているもの。小さな成長を応援してあげてください。そして親も同じかもしれません。自分の子育てに自信が持てないときがあるかもしれないけど、きっと一日一日親として成長しているはずです。

0~2歳への声かけ

子育てがはじまったばかりで、成長の様子が特に気になる時期ですね。ほかの子と比べてなかなか歩かない、話さないということがあるかもしれませんが、本当に子どもの成長は人それぞれ。**「重たくなってきたね」「キックの力が強くなったね」**と声をかけ、できていることに目を向けるようにしましょう。

3〜6歳への声かけ

保育園や幼稚園で人と関わることが増える頃。うちの子だけがモジモジして、人の輪に入っていけないこともあるかもしれません。こういう子は人の輪に入れないのではなく、入るまでに勇気が必要だったり時間が必要だったりするもの。とにかく待ってあげて、「大丈夫だよ」「ママ・パパがそばにいるよ」と声をかけて見守りましょう。変化を見ながら寄り添ってあげてください。

7〜12歳への声かけ

冒頭でお話ししたテストの例の場合。「前回より1・25倍も伸びたね」「10点も上がったじゃん」のように、お母さんがそれを具体的な数字入りで言葉にしてあげるといいです。子ども自身も、過去の自分と比べてよくなっていれば、成長している実感を持てます。テストの点数だけじゃなく、普段の勉強で「勉強時間が10分延びたね」と言ってあげるのもいいですね。

賢い子を育てる5つの質問「かきくけこ」

わが子には賢くなってほしいですね。でも「賢い」ってなんでしょう。今までの教育では、賢さとはいわゆる認知能力といわれるもの、つまり読み書きや計算能力とされていましたが、今では非認知能力という言葉の方がメジャーになってきています。

この概念は実は、50年ほど前から研究されていたものなのですが、数年前に学習指導要領にその言葉が採用されたことをきっかけに、注目をあびるようになりました。そして今、賢さという概念は「考える力」と表現されることが多くなっています。

考える力を育てるには、3つの力が大切になります。

1つめが「好奇心」。つまり感じる力、問題を見つける力。2つめが「行動力」。まず実験してみる力、試してみる力。3つめが「思考力」。経験によって得た情報から考察・検証し、次の課題を見つけ出す力です。

この3つの要素、好奇心・行動力・思考力が学びの基礎となるのです。

それでは、この「考える力」を身につけるにはどうすればいいでしょう？　そのためには、自分で考えることを促すような質問を、普段から投げかけてあげてください。その質問5パターンが、次の「賢い子を育てる『かきくけこ』」です。

か＝考えさせる質問
き＝企画させる質問
く＝工夫させる質問
け＝計画させる質問
こ＝行動させる質問

●か＝考えさせる質問

言葉の通り、子どもに自分で考えさせる質問です。ことあるごとに「あなたはどうする？」と聞いてみましょう。これは、この後の質問の土台となるものです。

●き＝企画させる質問

何か新しいことを子どもに決めさせるような質問です。子どもに判断を促しつつ、アイデアを引き出すような聞き方をしてあげましょう。

●く＝工夫させる質問

「よりよくするにはどうしたらいいか」を考えさせる質問です。何か問題が起きたとき、解決するためにどうしたらいいかをたずねます。「もっと○○するにはどうしたらいい？」のように、「もっと」という言葉を使うと効果的です。

●け＝計画させる質問

大きくなってから何か計画を立てようとしたとき、どうやったら目標を達成できるか、問題を解決できるかという「問題解決力」が大切になってきます。それを身につけるには、想像しながら段取りを組むという計画力が必要です。いつ何をするかを細かく決めさせるような質問をしてあげるといいでしょう。

●こ＝行動させる質問

「失敗するかもしれない」「失敗したらどうしよう」と考えて行動できない子、やる前からできない理由を探して挑戦できない子が増えています。「行動して失敗する」というトライ&エラーが、そもそもの学びの基本のスタイルです。「まずはとにかくやってみたら？」のような、行動を促すような質問をしてみましょう。

この質問5パターンは、日常生活の中に取り入れるといいでしょう。

それでは年齢別に、5つのうち特に意識して投げかけてあげたい質問を紹介します。

0〜2歳への声かけ

特に2歳児には、「く」(＝工夫させる質問)を意識してみましょう。2歳は知能が伸びている時期なので、工夫する習慣をつけることで思考力が身につきます。

積み木を重ねる遊びをしていたら「**もっと高くするにはどうしたらいいかな？**」、お絵かきをしていたら「**もっとたくさんのクレヨンを使ったらどうなるかな？**」のように、「もっと」を使って、ひとつのことを深掘りする聞き方をしてみましょう。

3〜6歳への声かけ

自分で考えて行動する力が育まれる時期です。「か」(＝考えさせる質問)と「こ」(＝行動させる質問)を積極的にしてみてください。

まず、考えさせるためには「**あなただったら、こういうときどうする?**」のような聞き方をするといいです。たとえば、水が入ったコップを持った子どもがつまずいて転び、中身が床にこぼれたとします。そんなときは「**こぼしちゃったね。どうすればいい?**」と質問してみてください。子どもがわからないという場合は、「**そう、拭けばいいのよ**」と教えてあげましょう。

そして、考えさせるだけでなく、常に行動する子に育ててあげるのも大切です。行動させたいときは、「**どれからやる?**」「**いつやる?**」のように、すぐに行動に起こせるよう促してあげましょう。目標が高すぎると実行できないので、小さいことからひとつずつやらせてあげる(＝スモールステップ法)のがポイントです。

7~12歳への声かけ

この年頃は、企画する力や計画する力が伸びる時期。「き」(＝企画させる質問)と「け」(＝計画させる質問)をどんどんしてみましょう。

まず企画させるためには、「**あなたのお誕生日会は何をする？　誰を呼ぶ？**」など、子どもに自分で考えさせてみてもいいですね。

計画させるためには、「**今週末、家族みんなで出かけようか。何時に、どこに、どんな順番で行く？**」「**そのときに何を持っていく？**」のように、ひとつのプログラムを計画させてみましょう。

第3章

子どものやる気を伸ばす一言

×命令口調はやめなさい！
○語尾に「お願い」をつけてみたら？

Keyword
リフレーミング

物事の捉え方を変えてみる

目の前に、半分くらいまで水が入ったコップがあるとします。あなたならそれを見て、「こんなにたくさん入ってる」と思いますか？　それとも「たったこれだけしか入ってない」と思いますか？

このように、事実はひとつでも、見る人によって解釈は異なるものです。前者は物事をポジティブに捉える人、後者はネガティブに捉える人と言い換えることができます。どちらがいいというわけではありませんが、子どもが何かネガティブな解釈をした場合、親がポジティブな視点へ変えてあげることで視野が広がるかもしれません。

そのために有効な方法に「リフレーミング」があります。

リフレームとは「枠組み（フレーム）を再構築する」という意味で、リフレーミングは物事を違う視点で捉えてポジティブに解釈しようとする考え方です。

たとえば、子どもが「こうしかできないじゃん」と言ったときに、「こんな風にもできるよね」と言ってあげて、色んな解釈があること、物事の捉え方はたくさんあることを伝えてあげましょう。失敗を恐れて挑戦できない子には、「失敗は成功のもとっていうのよ」と伝えてあげるのです。そういった子はひとつしか正解を知らないから、失敗するのを怖がってしまうのです。

親が常にポジティブな声かけを意識することで、子どももポジティブでいることができます。これは親御さん自身の心の安定にもつながります。

「自分の子どもは臆病でなかなか新しいことに挑戦できない」と心配に思う方もいるかもしれません。そんなときは視点を変えて、「この子はすごく慎重派だわ」「準備をしっかりとするタイプね」と考えてみるといいかもしれません。

「暴れん坊の子」は「行動力がある子」、「頑固な子」は「頑張り屋さん」など、ちょっと心配になるような個性を持った子でも、視点を変えればたくさんの長所が見えてくるのです。

0〜2歳への声かけ

好奇心旺盛で何でも触ろうと手を伸ばす時期です。大人のネガティブな捉え方で好奇心の芽を摘んでしまうのは避けたいところ。時には親御さんが苦手な虫や、汚れるのが目に見えている水たまりに手を伸ばすこともあるでしょう。そこで親御さんが「気持ち悪いよ」「汚いよ」と言ってしまうと、そのネガティブな印象が残り、苦手意識につながってしまうことも。「不思議な形だね」「どんな感触かな？」のような声かけができるといいですね。ただ、怪我につながるような危険なものに触れようとしたときは、しっかりと「危ないよ」「痛いよ」と教えてあげましょう。

3〜6歳への声かけ

以前、ある親御さんより「子どもの当たりが強いため、お友達から煙たがられている。強い口調をやめさせたい」という悩み相談がありました。私は「お願い」と言うことを教えてあげてはどうでしょう、とお伝えしました。親御さんが子どもに「お友達に何かしてほしいときは、おしりに『お願い』をつけてみたら？」と伝えたところ、問題は解決。「〇〇して。お願い」と言う子どもの姿もとてもかわいかったそうです。

このように、子どもには主張が強い子もいれば引っ込み思案の子もいて、それらはみんな個性です。個性を変えようとするのではなく、別の何かをプラスするという方法を考えてみるといいですね。

7〜12歳への声かけ

こちらは、小学5年生の親御さんから受けた相談です。子どもが正義感が強く、友達がした間違ったことも「いけないんだよ」と指摘をするため、友達から「いい子ぶってる」と言われてしまったそう。「お友達はどうしてうちの子をそんなふうに言うのか」「うちの子がかわいそう」とのことでした。私は、「お子さんに『あなたが私の子でよかったわ』『しっかり指摘できるのはすごいね』と言ってあげてください」

とお伝えしました。友達をどうにかするのではなく、自分の子に正しいことを伝えてほめてあげる。これもリフレーミングで、捉え方を変えるということです。

子どもが自信を失っているとき

×あなたは引っ込み思案ね。もっと自信を持ちなさい
○あなたはマイペースでコツコツ努力するね

Keyword
基本的自尊感情と
社会的自尊感情

「自己肯定感を上げたい」と思う時点で子を低く判断している

自己肯定感の高い子に育てよう、そんな言葉を最近よく耳にするようになりました。でも自己肯定感の高い子にするにはどうすればいいのか、わかりづらいですね。また、自己肯定感が上がる、下がるなどとも言いますが、実は自己肯定感は上がったり下がったりしないのです。

自己肯定感は、専門用語で言うと「基本的自尊感情」と「社会的自尊感情」の2つ

の種類があります。本来高くあってほしいのは「基本的自尊感情」の方なのです。

「基本的自尊感情」は、「自分には価値がある」「ありのままの自分がいい」のように、無条件に自分の存在を肯定できる感情のことです。それに対して「社会的自尊感情」は、報酬や優越など他者からの評価や比較によって得られる、自分を肯定する感情のことです。


小学校のときは成績優秀で中学受験して進学校に進んだけれど、みんなの学習レベルが高過ぎて自信がなくなった。または、小中学校とスポーツ万能で、高校へはスポーツの強豪校へ推薦で進んだけれど、全国から集まった精鋭たちの中ではレギュラーになることができなかった。そんな環境にいると、「自分の実力」に自信が持てなくなることもあります。こうした感情が、社会的自尊感情というものです。

一方、基本的自尊感情は、そのような外部の要素に関係なく常に持ち続けられるものなので、上がったり下がったりすることはありません。

自己肯定感は当然低いより高い方がいいはずですから、自分の子の自己肯定感を上げるにはどうしたらいいのだろうというのが親の心理です。けれども考えてみてください。自己肯定感とは、子どものありのままの姿を信じることでしたね。だとすると、自己肯定感を上げたいと感じた時点で、子どもの自己肯定感を低いと判断していることになるのです。

たとえば「うちの子は他の子に比べて引っ込み思案だわ」「もっと自分に自信を持ってほしい」と思っている時点で、他の子と比較してしまっているのです。「引っ込み思案」ではなく、「見えないところで自分のペースでコツコツ頑張る子」と捉えてみてはいかがでしょうか。

本質的な自己肯定感を保つためには、他人と比べたり評価をしたりせず、ありのままのその子を認めて信じてあげてください。個性をネガティブに捉えず、その子の魅力としてポジティブに捉えてあげましょう。

0〜2歳への声かけ

自己肯定感というものは、生まれたばかりの頃は低くはありません。たとえば歩き出したばかりの赤ちゃんが転んでも「自分には歩く才能がないな。歩くのやめよう」

とは思わないですね。すぐに立ち上がってひたすら歩こうとします。この自己肯定感をキープするには、「たくさん歩けたね」のように、ひとつひとつの成長を応援してあげることが大切です。

3〜6歳への声かけ

もともと高かった自己肯定感は、ある程度大きくなって周りの人からかけられる言葉や評価によって下がっていきます。きょうだいと比べて「お兄ちゃんなんだから」「もう○歳なんだからできるでしょ」のような声かけはNG。比べるのは他人ではなく昨日までの本人です。「昨日より早く起きられたね」「そんなにたくさん持ってくれるの？　力持ちになったね」のような、成長を認める声かけをするといいでしょう。

7〜12歳への声かけ

この頃になると、テストの点数や運動会のかけっこなど、自分が人よりまさっているか劣っているかが目に見えてわかってきますね。そんな環境の中で自己肯定感をキープするには、普段からの家庭での声かけが大切。たとえば、「おはよう、寝癖ついてるね」「顔が真っ赤だね。外は暑かった？」のように声をかけましょう。これは「承認」という方法で、存在そのものを認めることです。成績や運動の優劣に関係なく、いつもあなたのことを気にかけているよ、というメッセージが伝わるといいですね。

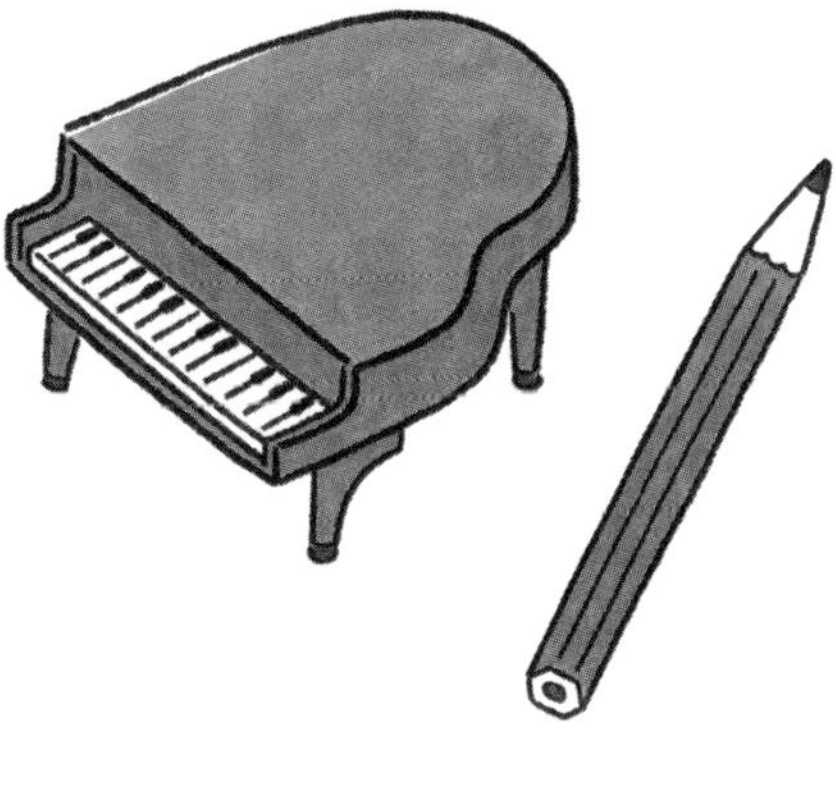

×すぐに涼しくするね
○暑いのね。どうしてほしい？

Keyword
ふくろうの法則

自立させたければ「待つ」ことからはじめる

親が子どもを心配するのは当たり前ですが、あまり心配しすぎると、子どもの自立のチャンスを逃してしまうこともあります。依存せず、自立した子に育てるために役立つのが、「ふくろうの法則」です。

私の大好きな言葉に「手をかけず心をかける」という言葉があります。つい手を出したくなるのをぐっとこらえて見守る姿勢です。ふくろうの法則には、見守り上手な子育てに必要な、3つのステップObserve・Wait・Listenがあります。それらの頭文字「OWL」が英語でふくろうを意味することから、このように呼ばれています。

まず、ステップ1のObserve（観察する）。子どもがどういう環境でどのような事実と向き合っているのか、しっかり観察します。

ステップ2はWait（待つ）。子どもがどう考え行動するか、自身で決断するまで待ちましょう。

そしてステップ3はListen（聴く）。最後に話を聞いてあげて、導いてあげるということです。

前項に寒い日に子どもが半袖で出かけようとしているときの例がありましたが、それがまさにふくろうの法則なのです。

半袖を着た子どもを見てまず「ああ、半袖だな」と観察する（Observe）のが第一段階。そして、子どもが外に出たらどうするか様子を見て待つ（Wait）のが第二段階。その後に「寒くないの？」と聞いてあげる（Listen）のが第三段階なのです。

寒そうな子どもの服装を見ると親としては「寒いから上着持ってきなさい」と言い

たくなります。それをぐっとこらえて、子どもが自分で実感して自分で決めるのを見守ってあげることが大切です。おせっかいを焼きすぎず、「待つ子育て」を心がけましょう。

0〜2歳への声かけ

前で紹介した事例に似ていますが、ある2歳の子が寒い日に薄着で出かけようとしていました。お母さんが「上着なしで寒くないの？」と言っても聞きません。くわしく聞いてみると、お母さんが声をかけたのは家を出る前だったとのこと。当然ながら家の中は暖かいので、子どもも上着を着る必要性を感じていないのです。薄着のまま外に出させたところ、素直に上着を着たといいます。このように、声をかけるタイミングも大切ということです。少し「待つ」ことで結果が変わります。

3〜6歳への声かけ

ある4歳の子が、12月の寒い日に「1日半袖で過ごす」と言ったそうです。親御さんとしては驚いて「風邪をひいたらどうしよう」と思うかもしれませんが、その方が子どもにとっては動きやすいかもしれないですし、体温調節がうまくできるようになるのかもしれません。心配してすぐにダメと言わず、「じゃあそうしてみようか。寒くなったら教えてね」と伝えて、見守ってあげましょう。

7~12歳への声かけ

今度は逆に、夏の暑い時期。8歳の男の子が私に「暑い」と言ってきました。その子はどうやら、友達と遊ぶ途中で機嫌を損ねている様子でした。まずは「そう、暑いのね」と受け止めて様子を見ることに。すると「暑いよ。どうして何もしてくれないの?」と言ってきたので「じゃあどうしてほしい?」と聞くと、無言になってしまいました。さらには周りの子が「服脱いじゃいなよ」「窓開けたらどう?」「扇風機かける?」「服であおいであげようか」と口々に言うのです。するとその子は口をとがらせて「いいよ、服を一枚脱ぐから」と言いました。結局は駄々をこねていたようです。

このように、暑いからとすぐに涼しくしてあげるのではなく、いったん待って、いろんな手段があることを伝えるのが大切です。

×ちゃんと挨拶しなさい
○挨拶しようね。みんなの気分がよくなるからね

Keyword

ヘルパーズハイ

誰でも誰かの役に立ちたい

やる気を出すためにはドーパミンが必要だとお伝えしました。ドーパミンを分泌するためには、激しい運動か、人を助けるか、このどちらかを行うといいです。

子どもの「幸せ力」を育てるということを考えるうえで、もうひとつ注目したいのが、貢献心を育てるという方法です。貢献心というと大げさに聞こえるかもしれませんが、人は誰でも誰かの役に立ちたいという欲求を持っていると言われています。

人は誰かの役に立っている感覚があったとき、脳内でドーパミンが分泌されて幸福感を感じます。この現象を「ヘルパーズハイ」といいます。

カリフォルニア大学で行われたある実験があります。まず、人を以下の4つのグループに分け、それぞれ6週間を過ごしてもらいました。

グループ1　社会に役立つ行動をするグループ（寄付やゴミ拾いなど）
グループ2　家族や友人に親切にするグループ（プレゼントやお手伝いなど）
グループ3　自分に親切にするグループ（おいしいものを食べる、旅行に行くなど）
グループ4　いつも通り過ごすグループ

結果として、グループ1とグループ2はモチベーションが上がり、幸福感も増していました。つまり、他人に親切にすることで自分の内側にポジティブな感情を生み出して、周りの人間関係の充実や人を信じる力につながったということですね。

よく子どもが大人に、「これあげる」と言って何かをさしだしてくれることがありますね。その時点で本人は「貢献」しているという気持ちではないにしても、「人を喜ばせたい」という気持ちはどの子どもにもあるということです。小さなうちからその小さな芽を育ててあげたいものです。

そのほか、「挨拶しなさい」というのを「挨拶しようね。みんなの気分がよくなるから」と伝えたり、「靴を揃えなさい」を「靴を揃えてね。みんなが通りやすいから」のように言い換えたりすると、「自分の行為が周りの人にいい影響を与えるのだ」ということがわかっていきます。こうした言葉がけで子どもの幸せ度がアップするのなら、ぜひ取り入れてみたいですね。

0〜2歳への声かけ

誰かを思いやるような行動が出てくるのは、想像力や共感力が育つ5歳頃からと言われています。ですが、0〜2歳のうちに準備しておくことはできます。この頃、子どもが親におもちゃを渡すという遊びをよくしますね。受け取ったときに「ありがとう」と言ってあげましょう。小さいときから感謝の言葉を知っておくと、貢献心が育つ年齢になってその言葉を聞くと「自分が人のためになってるんだ」と感じるようになります。日常生活の中で、感謝の言葉をたくさん伝えてあげてください。

3～6歳への声かけ

3歳頃になると、子どもはお手伝いをしたがります。お手伝いは、人が最初にする貢献の行動です。はじめは遊びの一環でやろうとしますが、この頃から誰かのためになる経験をさせてあげることはとても大切です。お母さんの料理の簡単な手伝いやお父さんのお風呂掃除の手伝いなど、ちょっと面倒でもやらせてあげて、「ありがとう」と伝えてあげましょう。

7～12歳への声かけ

小学3年生頃になると、再びお手伝いをしたがります。興味からはじまったお手伝いが、しっかりとした仕事になっていきます。家族のために役割を持つのが社会貢献の第一歩。それは子どもが幸せを感じるために大切な行為なので、ぜひ積極的にやらせてあげてください。「お風呂掃除お願いしようかな」「ごみ出ししてくれる?」など、簡単なものでOK。子どもに任せることで、責任感も育ちます。

ルールを教えたいなら、しつけをしない「しつけの3原則」

子どもに対してはできるだけ「ああしなさい」「こうしなさい」と言わずに、自分で考え行動することを応援したいものです。

ですが、どうしても介入しなくてはいけない場面もありますね。子どもが道路に飛び出して危うく車にひかれそうになるような場面で、見守っているわけにはいきませんし、歯磨きをしたくないと駄々をこねている子どもに対して、意思を尊重しようとそのままにすれば、虫歯になってしまいます。

それでは、どんなときに見守り、どんなときにしっかりと叱るべきなのでしょう。その判断基準となるのがしつけの3原則です。それは、安全、健康、道徳に関わるときです。この3つの場合だけは、しっかりと叱ってください。

まず、安全に関わるとき。道路に飛び出す、熱いお湯を触ろうとするなど危険な場合です。

次に、健康に関わるとき。歯を磨かない、ごはんを食べないでお菓子ばかり食べている、夜ふかしして日中元気がないなど、不健康な生活スタイルを送っている場合。

そして、道徳に関わるとき。嘘をつく、お友達をいじめるなど道徳に反する行為があった場合。

これら3つの場合は、「見守る」という姿勢を一切気にせず、子どもをしっかりと叱りましょう。これが「しつけの3原則」です。

0〜2歳への声かけ

この頃は、安全に十分注意してあげましょう。0〜1歳は、何でも口に入れたり触ろうとしたりする時期。食べ物以外のものを口に入れようとしたら「**ダメ！ 危ないよ**」、熱いものを触ろうとしたら「**触らないで。熱いよ**」と言いましょう。2歳頃は動けるようになり、道路に飛び出そうとしたりしますね。「**止まりなさい！**」「**車がくるから危ないでしょ**」と声をかけましょう。手をぎゅっと掴んだりしてもOKです。見守って言い聞かせるのはしっかり理解できるようになってから。ただ「ダメ」と言うのではなく、どうダメなのか、どう危険なのかを伝えてあげるといいですね。

3〜6歳への声かけ

この頃意識したいのは、まず健康です。2歳後半くらいから、歯磨きを嫌がる子が増えます。ほかにもお菓子を食べすぎる、夜ふかしをする、だらだらと寝ているなどの状態は、今すぐ危険になるわけではありませんが、ゆくゆく健康を害する可能性が。体の健康は心の健康にも影響する重要な要素。叱りつける必要はありませんが、「今日はやらなくてもいいわ」と見守るのは避けましょう。**「早く寝て元気になったら明日もたくさん遊べるね」**などと、必要性を伝えて良い習慣を促してあげましょう。

そして、道徳も意識したいところ。親に「あっち行って」「嫌い」のようなきつい言葉を言ってくることがあります。成長の時期だから仕方がないとも言えますが、相手が傷つく言葉を口にするのは道徳に反するので、怒っても構いません。**「そんなこと言わないで」「すごく悲しい」**と伝えましょう。お友達にいじわるをする、物をとる、仲間はずれをするなどの場合も**「それはいけない」**としっかり叱りましょう。

7〜12歳への声かけ

この頃気をつけたいのが、まず健康です。ちゃんと栄養のあるものを食べて適度に運動してしっかり寝る、というのが日常のしつけの中で重要です。生活リズムの安定は心の安定に直結します。

そして、道徳も大切です。高学年になってくると人間関係のトラブルも増えてきます。そのときは「**嫌なことをされたら、はっきり『嫌だからやめて』って言葉で伝えていいんだよ**」と声をかけ、話をよく聞いてあげましょう。相手を傷つけずにうまくいくような立ち振る舞いを教えてあげて、常に味方でいることも大切です。

第4章

子どもの心を安定させる親の態度

×騒がずに食べなさい！
○おーいしーい！ ほっぺたがおちそうだね

Keyword
感性によるクオリア

幸せな子は、幸せを感じる力が優れている

「子どもには幸せになってほしい」「どうやったら幸せになれるのか？」どんな親も一度は考えることだと思います。

幸せとは形のないものであり、人によっても様々。だからこそ幸せになるために求められるのは、幸せを「感じる力」です。感じる力とは、たとえば音楽を聴いて「リラックスするな」、料理を食べて「おいしいな」と感じることができるように、五感

を働かせる力、そして感じたことを認識して表現できる力のことです。

ある日、友人と食事をしていて私が「わぁおいしい、幸せ!」と言うと、友人は不思議そうな顔をして「幸せ?」と聞き返してきました。友人は食事をして「お腹がいっぱい」とか「おいしい」とは感じるものの、幸せと感じたことがないというのです。

このときに私が感じた感覚を「クオリア」と呼びます。クオリアとは、英語で、私たちが個人的に感じる「感覚」を意味します。特に五感から感じられる感情とも言えるもの。五感への働きかけが、感情を豊かにするのです。

そういった力を育てるためには、五感に働きかける声かけを習慣的にしてあげるのがいいでしょう。

たとえば毎日の食事のときに、親に「みんなでわいわい話しながら食べるとおいしいね」と声をかける習慣があると、子どもは「みんなで食べる食事は楽しい」と思うようになります。勉強をしているときに「難しい問題が解けるようになるのは楽しいね」と言ってあげるのもいいですね。

幸せな感情というのは記憶と結びつくものなので、「楽しいね」「幸せだね」という声かけを普段からすることで、物事をプラスに捉えられる力が育っていきます。同時に、子どもも「こうやって表現すればいいんだ」とわかってくるので、自分で自分の感情を表現する力も育ちます。

また、感じる力を育てるうえで、感情を抑え込む必要はありません。感情を理解することの方が大切です。幼い子どもが泣き出すと、親としては「泣いちゃダメ」とつい言いたくなりますが、感情は抑えられるものではありません。そんなときは「悲しいのね」「悔しいのね」と感情を表すことばを伝えてあげてください。

0〜2歳への声かけ

「いないいないばあ」をしたとき、赤ちゃんは声をあげて笑ったりしますね。これは赤ちゃんがクオリアを感じている証拠。「おもしろいのね」「楽しいのね」と、想像できる言葉をかけてあげましょう。すると赤ちゃんはこの感情が「おもしろいんだ」「楽しいんだ」と理解していきます。

3〜6歳への声かけ

以前ある幼稚園に行ったとき、ふたりの子どもが喧嘩をしていました。AくんがB

ちゃんを押し倒しそうになったので、私は止めようとしてとっさにAくんの手を掴みました。すると、それを見ていたCちゃんが私の手をふりほどこうとしたのです。「どうして先生の手をほどこうとしたの？」と聞くと、Cちゃんは「わからない」と答えました。私は、Cちゃんが「Aくんが先生に手を掴まれてかわいそう」と思ったのだと察しました。このような、人の気持ちを察する気持ちや優しさもクオリアの一種です。私は「**Aくんを自由にさせてあげたかったんだね**」と声をかけました。このように、そのときの気持ちを言葉にしてあげることで、子どもの感情に対する理解が深まります。

7〜12歳への声かけ

小学校の図工の時間で空の絵を描く課題があったとします。おもしろいことに、太陽の色は子どもによって様々。赤く塗る子もいればオレンジに塗る子、黄色に塗る子もいます。同じ色でも人によって見え方や捉え方が違うということ。そんなときは「**どうして赤で塗ったの？**」などと聞いてあげると、子どもが意識を深めることができます。

子どもに対してイライラしてしまうとき①

×イライラしてはいけない
○イライラをうまく解消しよう

Keyword
ストレスコーピング

「なんとかなる」は平穏を取り戻すキーワード

子育て中の朝は大忙し。「早く起きなさい」から始まり「テレビを見ながらごはん食べないの」「早く着替えて」「忘れ物ない？」など、朝のわずかな時間の間に何度も心配したり叱ったり、イライラしたりするものです。子育ての悩みで一番多いのは、やはり「イライラしてしまうこと」かもしれません。

日々何気なく感じている小さいイライラのことを、「デイリーハッスル」と言います。小さいからこそ見逃しがちですが、心や体に大きな影響を与えるものだと言われています。子育ての小さなイライラの積み重ねが心の大きな負担になるのは納得がいきますね。

そんなイライラへの対処法「ストレスコーピング」を紹介します。

「コーピング」は「対処する」「切り抜ける」という意味で、ストレスコーピングは自分でストレスをやわらげる手法と言えます。次の5つの種類があるので、自分に合った方法で試してみてください。

1　感情型コーピング＝日記を書く、感情に点数をつける
2　身体型コーピング＝散歩をする、ストレッチをする、日光浴をする
3　社会型コーピング＝相談する、SNSで発信する、子育ての仲間を作る
4　心理型コーピング＝カラオケをする、読書をする、海を見にいく
5　認知型コーピング＝リフレーミング、ポジティブにとらえる、視点を変える

感情は、コントロールのきかないもの。イライラするのは仕方のないことです。イライラを出すこと自体はやめられないから、我慢するのではなく、出し方を変えてみるといいのです。

お母さんは高みを目指して「完璧にならなきゃ」と思いがち。ですが、子どもを10回叱って3回言うことを聞いてくれたら、それでもう合格点。10回中10回言うことを聞かせようとするからイライラしてしまうのです。子どもも人間なので、叱っただけでそう簡単に言うことを聞いてくれはしません。

完璧を目指しすぎず「なんとかなる」の精神で、自分にも子どもにも向き合ってあげてください。スペイン語でいうと「ケセラセラ」、沖縄の方言でいうと「なんくるないさ」という言葉があります。少しだけ心を楽にして「きっとなんとかなる」と考えてみてくださいね。

0〜2歳を持つ親御さん自身への声かけ

1歳児を持つお母さんから、「ずっと子どもにつきっきりで、自分の人生がなくなったような気がする」というお悩みを聞きました。さぞかし子育てが大変なんだろうと思いました。そこで、「**自分の満足のいく点数を10点満点としたら、今の子どもとの生活は何点ですか？**」と聞いてみたのです。感情型コーピングのアプローチです。するとその方は、8点と答えました。私は意外にも高いと感じたのでそう伝えると、「つきっきりで大変は大変だけど、子どもとの時間はすごく幸せなんです」とのこと。「8点ということはとても幸せなんですね」と伝えると「本当ですね。今初めて気がつきました」とおっしゃっていました。このように、自分の感情やコンディションに点数をつけることで客観視することができ、視点の変換につながります。

3～6歳を持つ親御さん自身への声かけ

子どもが幼稚園や保育園に行くようになると、自分の時間ができます。その時間を利用して、社会型コーピングを試してみてください。ママ友・パパ友を作って子育ての相談をしたりすると、話をするだけで安心できます。

他にも、美容院に行くとかランチに行くとか、子どもを預けているその瞬間だけ、自分のために時間を使ってみるのもいいでしょう。これは心理型コーピングで、気分転換をすることでイライラの発散につながります。

7〜12歳を持つ親御さん自身への声かけ

子どもが小学3年生くらいになると、働きに出るお母さんが増えます。「本当に働くことって楽しい」という方が多いです。このように、子育てだけではなく、自分の視点を外に向けたり、社会で役に立つことをしたりするのもストレスの発散になります。これも社会型コーピング。時間ができたら自分のために使ってみましょう。

子どもに対してイライラしてしまうとき②

×わがまま言わないの！
○わがままはゴミ箱に向かって言ってね

Keyword
イライラのゴミ箱

ネガティブな感情は「イライラのゴミ箱」に捨ててしまおう

前の項目で「イライラは発散すべし」とお伝えしました。ここでは、その方法の中でも最も効果があると人気のものをご紹介します。

それは「イライラのゴミ箱」というもの。その名の通り〝イライラ〟を捨てるためのゴミ箱です。家族で相談して、イライラを捨てるためのゴミ箱をひとつ用意します。そのゴミ箱にならネガティブな感情を吐き出してもいい、というルールを作っておくのです。そしてついイライラして大声を出してしまいそうなとき、ゴミ箱に向かって「どうして約束守れないの～」「せっかくごはん作ったのに残さないで！」「片づけなさいって言ってるでしょ」と叫ぶのです。

家族で決めたルールですから、もちろん子どもも使ってＯＫ。イライラだけでなくわがままもＯＫです。「もっとテレビが見たい！」「アイス食べたい！」「勉強したくない！」とゴミ箱になら言ってもいいのです。

ゴミ箱に向かってイライラを発散している自分や子どもの姿を客観的に想像したら、滑稽でクスッと笑いたくなってしまうかもしれませんね。

0～2歳を持つ親御さん自身への声かけ

新生児の子育てはまさに24時間体制。産後のホルモンバランスの影響や寝不足もあって、イライラしてしまうのは当然です。ずっと抱っこで片時も赤ちゃんから離れられないという場合もあるでしょう。イライラのゴミ箱の存在を思い出す余裕さえないかもしれません。

そんなときは目を逸らすだけでも大丈夫です。せっかく搾った母乳を吐き出されてイラッとしたら、子どもに向かってではなく、後ろを向いて「いい加減にして！」と言いましょう。我慢する必要はありません。

3〜6歳を持つ親御さん自身への声かけ

この頃の子どもは言葉をどんどん吸収します。乱暴な言葉や下品な言葉はなるべく覚えてほしくないですね。しかし家庭でどれだけ気をつけていても、集団生活の中で面白がっていろんな言葉を覚えてくるもの。大切なのは、よくない言葉を子どもの耳に入れないことではなく、その言葉が悪い言葉であると理解させることです。親御さんが、イライラのあまりに乱暴な言葉を使ってしまいそうなときこそ、イライラのゴミ箱の出番です。「うるさい！」とゴミ箱に向かって言うことで、人に向かって言ってはいけない言葉だということも学んでくれるでしょう。

7〜12歳を持つ親御さん自身への声かけ

幼稚園の頃は家に着くなり「あのね、今日ね……」とうるさいくらい話してくれていた子も、思春期に差し掛かると言葉が少なくなることは多いです。それどころか、反抗心から「うるさい！」「クソババア！」などの暴言が出ることも。子どもが学校で抱えてきたイライラやストレスを家で出せていることは、子どもにとって家が安心安全な場所であるという証拠です。「なんてこと言うの！」と否定せずに、「そんな言葉を言われたらお母さん傷つくわ。でもここになら言っていいよ」とゴミ箱を差し出しましょう。

子どもに対してイライラしてしまうとき③

×自分の中で押さえ込まなきゃ
○ちょっと紙に書き出してみよう

Keyword
感情型コーピング

「3行日記」で子育てのモヤモヤが消えていく

イライラは我慢せず表に出すと、次第にやわらいでいくものです。そのひとつの方法として、「文字として紙に書き出す」ことがあります。要は「自分の外に出す」という行為が大切なので、傾聴効果のような「口に出す」という方法のほかに、「書き出す」という行為でもいいのです。感情を整理・対処（コーピング）しましょう。

日記がいい例です。「今日子どもに怒っちゃった」という内容と、「今度からは怒りそうになったらこうしよう」という内容を、ちょこっと書くだけでＯＫ。長い文章を書く必要はなく、3行程度でいいんです。

書くという行為が左脳を刺激し、右脳から左脳にシフトしていくので、書いているうちに気持ちが落ち着いてきます。感情は出し切れば消えてゆくものなのです。

書き方にいくつかポイントがあります。

ひとつは、ポジティブな内容にするよう心がけること。人は、最後の方にいいことがあるとそこが強化され、より記憶に残る性質があります。なので、「今日はクッションに向かって叫んで発散することで笑顔になれた」のように前向きな内容でしめくくると、前向きな気分でその日を終えられます。日記を書くのも1日の終わりがおすすめです。

もうひとつのポイントは、感情についてであればネガティブな内容でも書いてＯＫということ。「悲しかった」「つらかった」「嫌だった」など、事実や自分が感じたありのままの感情は、書き出すことで軽減します。

とある実験で、注射を打たれるときに「痛い痛い」と口に出した方が痛みが軽減するという結果が出ています。我慢せず発散した方がやわらぐということですね。それと同じで、ネガティブな感情は発散していきましょう。

これらのポイントをふまえて「3行日記」をつけてみてください。きっとイライフを引きずらないようになるはずです。

0～2歳を持つ親御さんの3行日記の例

「赤い靴下が好きなわが子。また今日も赤い靴下を履いていくとだだをこねた。
出かけ間際にぐずられると仕事に遅れちゃうからつい怒っちゃう。
明日赤い靴下を5足買いに行こう。これで1週間はもつかな？」

3～6歳を持つ親御さんの3行日記の例

「おもちゃが出しっぱなしでイライラする。
どうして何回言っても片づけられないんだろう？
大きなブルーシートの上で遊ばせれば、シートをまとめるだけで片づけ不要かも」

7〜12歳を持つ親御さんの3行日記の例

「靴下が裏返しになったまま洗濯カゴに入っていた。
いつも言っているのに、なんで言うこと聞けないの！
今日は裏返しのまま洗ってそのままにしまうことにしよう。どんな反応するかな？」

子どもに対してイライラしてしまうとき④

×うちの子は聞き分けが悪いな
○うちの子は自己主張ができてすごいな

Keyword
気分一致効果

自分の感情を認識すれば、ネガティブな感情に引きずられない

書き出す効果はまだあります。

子育てをするなかで、イライラしてしまうことはありますね。

たとえば、働いている親御さんの場合。子どもを保育園に迎えに行かなくてはいけないのに、終業間際でトラブル。「今日はついてないな〜」と思いながら急いで迎えに行くと、子どもは「公園で遊びたい」と言ってなかなか帰ろうとしてくれない。早

く帰って食事の準備もしたい。無理やり抱き抱えて帰宅するも、機嫌をそこねた子どもがだだをこねて、食事の準備にとりかかれない……。

　そんな日は「もう、疲れた！」と愚痴を言いたくもなります。仕事が大変な日に限って、「子育てって大変！」と思うことがありますね。


　私たちには感情があって、いい気分のときはポジティブな感情を持つものです。逆に不快な気分になったときは、全ての現象に対してネガティブな感情を持ってしまうことがあります。

　これが、「気分一致効果」と言われるもの。

　気分のいいときは物事のいい面が見えやすいのですが、逆に気分の悪いときは物事の悪い面が見えやすくなるのです。つまり、子どもが公園で遊んでいる姿を見て「楽しそう」と喜ばしく思うのか、「早く帰りたいのに」とイライラするかは、その日の気分によって変わってくるのです。

　そこで自分の気分を自覚してみましょう。「仕事のトラブルで気分が沈んでいるな」「最近寝不足が続いているな」と自分で認識すると、ネガティブな感情はやわらぎます。子どもに対してイライラしてしまったとき、その原因が目の前の子どもの行動ではなく、元々の親御さんの気分に影響されているかもしれないということです。

自分の気持ちがわかったら、改めて子どもに向き合いその子のいいところを10個探してみてください。それを紙に書いてみましょう。そのうちに「いいところを探す」という視点ができて、子どもを肯定する気持ちが生まれてきます。

1日1回子どものいいところを10個書き出す。これを習慣として1週間続けるといいでしょう。親御さんの子どもを見る目が変わってきます。そうしてポジティブな思考につられて子どもの態度もきっとポジティブに変わってくるはずです。

0〜2歳を持つ親御さん自身への声かけ

だだをこねる子どもにイライラしてしまうことってありますね。「だだっこだな」「聞き分けが悪いな」と感じてしまいますが、それは逆に「意志が強い」「考える力がある」「かつ、それを人に伝える力がある」と解釈することができます。解釈を変えることで認識が変わっていきます。「自分の意見をきちんと主張できる子なんだ」「人とは違う個性を持っているんだ」と考えることで、子どもに対する認識もポジティブになります。

3〜6歳を持つ親御さん自身への声かけ

子どもの中には引っ込み思案で控えめな子もいますね。友達にいじわるをされても嫌と言えないと、「大人になっても自己主張ができないままだったらどうしよう」と不安になるかもしれません。しかしそういった子には、「謙虚な子」「人を傷つけない子」「思いやりのある優しい子」が多いです。きっと優しい人気者になるはずなので、不安になりすぎず見守ってあげてください。

7〜12歳を持つ親御さん自身への声かけ

小学生の親御さんから、「子どもが宿題をしていて、解けない問題があると癇癪を起こす」というお悩みをよく聞きます。しかし、考えてみてください。勉強しないで悩む親御さんが多いなか、勉強するだけで素晴らしいですよね。そんな子は「向上心が高い」「諦めずにやりたいという気持ちを持っている」「粘り強い」「勉強に前向き」と言えると思います。このように、いいところを探すクセをつけるといいですね。

子どもが問題行動を起こして不安なとき①

✕どうしてうちの子はこんなに悪い子なんだろう
○今この子は成長しようとしている。見守ろう

Keyword

ホ[illegible]ン効果

「うちの子は悪い子かも……」。そう思ったら立ち止まる

子どものことで幼稚園や学校に呼び出されたり、先生から電話がかかってきたりすると、親としてはすごく不安になるものです。そんなとき、びっくりしてあまり深刻に捉えないでほしいのです。

何も問題を起こさない子どもはいません。どんなに優しい子でも、問題を起こすことはあります。お母さんが子どもを完璧に育てようとすると、何かあったときに「ま

さかうちの子が」と驚いてしまいがち。ですが、子どもが問題を起こすのはいたって普通のことなのです。

大切なのは、問題が起きたときに慌てず、不安になりすぎず、愛情をかけて一緒に乗り越えようとしてあげること。子どもは問題を起こすときこそ伸びています。たとえば人間関係で悩んでいるなど、何かでつまずき、さらに成長しようとしているとき。

そこで親が「どうしてこの子はこんなことをしてしまったんだろう」「うちの子のこれからが心配だ」などとネガティブな解釈をすると、それが子どもに伝わったり育ち方に影響が出てしまったりします。

そのために知っておきたいのが、「ホーン効果」です。

ホーン効果とは、何かを評価する際に、それに関連するネガティブな情報につられて評価を下げてしまう心理現象のこと。先生から電話がかかってきた、そのことをきっかけに、自分の子のマイナス面ばかりが気になってしまう。それがホーン効果です。

子どもが問題を起こしたり悩んだりすることは定期的にあるものなので、その都度

「この子は今、頑張っているところなんだ」と理解し、寄り添って、解決に向かって一緒に歩いていくのが理想的です。

0〜2歳を持つ親御さん自身への声かけ

今ではあまり多くはないかもしれませんが、おじいちゃんおばあちゃんが子どもの言動を見て「あなたのしつけが悪いんじゃないの」「子どもにはもっと厳しくしないといけない」と言われることがあります。そのときたまたま子どものお行儀が悪かったりわがままを言ったりしただけなのに、「しつけが悪い」「育て方が悪い」とみられることがあります。これもホーン効果のひとつです。これに対しては、しっかりとそのことを説明をするか、「あまり気にしない」ということを心がけましょう。

3〜6歳を持つ親御さん自身への声かけ

集団生活がはじまり、親御さんとしては周りの子との差が気になることがあるかもしれません。最近はSNSの普及によって、情報が溢れています。ところがこれらのコンテンツは、多くの人に見てもらうため、不安を煽るフレーズを多用しています。

たとえば「○○不足は子どもの脳を壊す」などの情報に触れると、「かんしゃくを起こすのはそのせいかも」「集中力がないのは○○不足のせいかな」とあれもこれも心配になってしまいます。周りの子と比べて劣っている部分にばかり目がいってしまうときは、「これはホーン効果のせいだ!」とつぶやいてリセットしましょう。そして先月のわが子と比べて成長した部分に目を向けられるといいですね。

7～12歳を持つ親御さん自身への声かけ

ある小学3年生のクラスに、授業中立ち歩いたり友達にちょっかいを出したりする子がいました。別の子が、おうちで何気なくお母さんに「○○くんがいつも立ち歩いていて授業に集中できない」と言ったところ、それがきっかけでちょっとしたクラスの問題に。「授業の進度が少しおくれている」という話を聞いただけで、親御さんたちは「その子が邪魔をしてるんじゃないか」と感じてしまったのです。これもホーン効果。ひとつの事実に惑わされず、「その子自身のことをちゃんと見てあげよう」とすることが大切ということですね。

子どもが問題行動を起こして不安なとき②

×これがずっと続いたらどうしよう
○今は大変だけど、いつかは終わる

Keyword
ウィルパワー

トラブルも期間限定と考える

子どもの問題行動について、親御さんがラクになれるもうひとつの方法があります。それは「今は大変でもいつかは終わる」と考えてみること。これは「悩みを期間限定にする」という考え方です。

私たちは毎日たくさんのことを考えて決断しますが、人が1日に選択して決断できる量には限界があると言われています。集中力ややり遂げる力のような「意思力」のことを「ウィルパワー」と言います。悩んだり決断したりする期間が長く続くとウィルパワーを消耗して疲れてしまうので、期間を限定して考えるといいのです。

爪を噛む、チックが出る、お友達を叩いてしまう、学校に行かなくなるなど、どんな子にも必ず問題は生じるもの。ですが、このような問題行動が長く続くとは限りません。小学校低学年くらいまでであれば長くても6ヶ月、6歳以下であれば2週間から、長くて1ヶ月ほどで落ち着いてくることがほとんどです。

親御さんとしては「このままの状態がずっと続いたらどうしよう」と心配になると思いますが、深刻になりすぎず、愛情をかけて対応してあげましょう。「これもいつかは終わる。一時的だから頑張れる」と考えてみれば、不安にならずにすみますね。

0〜2歳を持つ親御さん自身への声かけ

子育てでまずつまずくのが、イヤイヤ期。ですが、この状態がずっと続くのであれば、イヤイヤ期という名前はつかないですね。もちろん大変ですが、半年〜1年半くらいで必ず終わる期間限定のもの。「このイヤイヤをなんとか終わらせよう」ではなく、「続くものは続く」「いずれ終わるものだから、今はイヤイヤさせておこう」と、少し気持ちをおおらかにして受け止めると、楽になりますよ。

3〜6歳を持つ親御さん自身への声かけ

チック症状が気になる親御さんも多いと思います。幼稚園や保育園で社会的経験を積みはじめたときや、家庭でも引越しをしたり下の子が生まれたりしたときに、チック症状は出てきます。「愛情不足なんじゃないか」「ずっと続いたらどうしよう」と不安になりますが、ほとんどの場合は一過性。小さなストレスを乗り越えようとしている状態なので、悪いものではありません。親が神経質になって言いすぎると、子どもも意識してしまいます。「あ、今この子は頑張ってるんだな」と、さらっと流して見守ってあげてください。一度終わってからまたふっと出てくることもありますが、何度出てきても期間限定です。

7〜12歳を持つ親御さん自身への声かけ

小学校くらいで気になるのが、爪噛みですね。ある小学3年生の親御さんが、学校の先生から「いつも爪を噛んでいるのですがご家庭で何かあったんじゃないですか」

と言われたそうです。思い当たることがないのでしばらく様子を見てみると、そのときは運動会の直前で、どうやら運動会に出ることを負担に思っていたようです。このように原因がしっかりわかっているのであれば、爪嚙みに対してあまり厳しく言わないであげてください。「今、乗り越えようとしてるんだな」と見守りましょう。長く続くようであれば「爪を嚙むのをやめようね」とひとこと言ってあげてもいいです。

その子は、運動会が終わったらすっかり爪を嚙まなくなり、その後もやらなくなったといいます。

子どもが思うようにならないとき

×お兄ちゃんなんだから優しくするべきなのに
○お兄ちゃんが優しくできたのはどんなとき?

Keyword
べき思考

過去と他人は変えられない。子どもも変えられない

「今日も怒ってしまった」「子どもが言うことを聞いてくれない」「家事をする時間がない」と、子育てってうまくいかないことがたくさんあります。そう感じる方ほど「叱らずほめる子育てがいいはず」「聞き分けのいい子になってほしい」「最低限の家事はしておきたい」と頑張っているのだと思います。

わが子にはできる限りのことをしてあげたい、と思う親は多くいます。それはすば

らしいことですが、もしうまくいかないことが多いなと感じるのであれば、その中にちょっとした思考のくせがついていないか意識してみてください。

心理学で「べき思考」といわれる考え方があります。「◯◯すべき思考」とは、自分や他人に対し、その人が直面しているケースに関係なく、「◯◯すべきである」「◯◯しなければならない」と期待することをいいます。「優しく叱るべき」「子どもは親の言うことを聞くべき」「育児をしながら家事も完璧にこなすべき」。これが「◯◯すべき」という考え方ですね。自分の作った「◯◯すべき」という理想に縛られすぎると、つらくなってきてしまうのです。

そんなときは、「□□するのも当たり前」とか「たまには□□して大丈夫」と考えてみてください。

「子どもがいけないことをしたら感情的になるのは当たり前」「一度くらい叱ったたって大丈夫」「子どもにも意思があるのだから親に反抗するときがあっても当たり前」「たまに言うことを聞かなくたって大丈夫」「育児で時間がないのだから家事が完璧でないのは当たり前」「たまに手を抜いたって大丈夫」といった具合です。

0〜2歳を持つ親御さん自身への声かけ

子どもが好き嫌いをすると不安になる親御さんもいると思います。「なんでもバランスよく食べるべき」「全部残さず食べるべき」と考えていませんか。小さい頃の子どもの食欲は、すごく不安定。食べ物以外のものへの興味も大きいので、遊び食べをしてしまうことも当たり前です。その中で「バランスよく全部食べ切るべき」というのは、理想が高すぎるのです。それよりも、食事は楽しい時間だと教えてあげることの方が大切です。「すべき」の数を減らして、**「遊んじゃっても仕方ないな」「好き嫌いしても案外大丈夫だな」**と考えてみてください。

3〜6歳を持つ親御さん自身への声かけ

きょうだいがいて、上の子が3歳、下の子が1歳だとします。こんなとき、赤ちゃん返りをするなど、上の子は不安定になりがちです。結果、下の子に乱暴してしまうことも。ここで「上の子が乱暴するなんてとんでもない」「お兄ちゃんなんだから優しくするべき」と考えるのは、まさにべき思考。そんなときは、**「この子が優しくな**

るのはどんなときか」と考えて「成功の原因探し」をしてみましょう。たいていは親自身に余裕があるときであったと気づきます。では、余裕のある状態にするにはどうしたらいいいか。たまに下の子を誰かに預けるとか、上の子だけの時間を少しとるとか、自分の生活にあった解決策を見つけられるといいですね。

7~12歳を持つ親御さん自身への声かけ

子どもが「今日学校に行きたくない」と言うと、親はドキドキしてしまいますね。それは、「学校に行くべき」と思っているからです。もちろん日本では学校に行く習慣があるので行った方がいいかもしれませんが、行かないという選択肢もありなのです。たまに休んでリフレッシュすることが子どものためになる場合もあります。大人でも「今日は仕事したくないな」と思うことがありますよね。「行きたくない日があって当たり前」と考えてみてください。とはいえ、毎日行かなくなるのは困るので、「どうやって行こうか」と一緒に話すなど寄り添ってあげることが大切です。

わが子をなんだか好きになれないとき

×私なんてダメな母親（父親）だ
○嫌いまでいかなくても〝普通〟かもしれないな

Keyword
同族嫌悪

親は自分と似た子を嫌いになる

「自分の子がかわいく思えない」「好きになれない」「何をしてもイラッとしてしまってどうしても許せないことがある」

こんな悩みを抱えている親御さんが、実は多いのです。そして、その多くが「自分の子を好きになれないなんて、私はダメな親だ」と思ってしまいます。しかし、これは決して異常なことではありません。

これは、心理学でいう「同族嫌悪」が関わっています。同族嫌悪は心理学的に「投影」を意味し、自分の嫌いなところや直したいと思っているところに似た部分を相手に見つけると、嫌悪感を抱くというもの。子どもに自分と似ているところがあるのは当然なので、これはごく自然なことなのです。

「好き」や「嫌い」は感情であって、感情はコントロールできません。好きになろうと思って好きになることはできません。「嫌い」「嫌だ」と思ってしまったからといって、自分を責めないでください。実際にそれを口に出したりいじめたりしているわけではないのですし、「思っちゃっただけだから仕方ない」と考えてください。

それでも嫌いという反応をしたくなかったら、「普通」という解釈をしてみてください。人の脳には、ものを見た瞬間にそれを「好き」か「嫌い」に分ける力がありま す。その2択だから「嫌い」に入ってしまうのであって、「普通」という選択肢を加えれば「嫌い」という気持ちは減っていくはずです。

こんな実験があります。ある人に、10人の知らない人の顔を見て「好き」か「嫌い」に分けてもらいます。そうすると3人が「好き」、7人が「嫌い」という結果になりました。次に、そこに「普通」という選択肢を入れると、さっきは「嫌い」に分類された人が「普通」に入ってくるようになりました。

「普通」を加えることで「嫌いとは言い切れないよく考えると普通かもしれない」という気持ちが働きます。これは、左脳で考えているからです。「好き」か「嫌い」かは、右脳が決めています。このときは直感的に判断しているので、高い確率で嫌いに入ってしまうのです。

子どもに対しても「まあ子どもだったらこれくらい普通かな」「考えてみたら嫌いではないかも」と思うことで、嫌悪感は薄らいでいくでしょう。

0〜2歳への関わり方

赤ちゃんが産まれると、必ずといっていいほどパパ似かママ似かが話題になりますね。ふたりの子どもなので、当然どちらの影響も受けているはずです。たとえば、お母さんが自分の一重の目にコンプレックスを持っている場合。赤ちゃんも一重だと、かわいいと思えないことがあります。これは、お母さん自身のコンプレックスを子どもに投影しているからです。コンプレックスは、本人が気にしているだけで周りは特に気にしていない場合も多いのです。もしかしたらご主人は、笑うと細くなる目がかわいいと思っているかもしれません。子どもの顔は成長とともにどんどん変わっていきますし、子ども自身がその目を気に入らないとも限りません。「**お母さんはあなたのことが大好きだよ**」とありのままを承認する言葉をかけましょう。お母さん自身のコンプレックスと切り離して、ほかの部分に目を向けるのも1つの方法です。

3～6歳への関わり方

通園がはじまり、お友達との関わりが増えてくるころです。お母さん自身が子どものころ、おとなしいタイプだった場合、子どもがなかなかお友達の輪の中に入れずモジモジしていると、「さっさと声をかけなさい！」と言いたくなってしまうことがあります。今の子どもの姿に、自分の子ども時代の辛さを投影してしまっているのです。子どもが「自分と同じ苦労をするのではないか」という心配の気持ちもあるかもしれません。でも大丈夫。おとなしいタイプだったお母さんも、今はそれなりに挨拶もできるし、ご近所付き合いもできているのですから。何より、モジモジしてしまうお子さんの気持ちを一番わかってあげられるのがお母さん、あなたです。だからそんなときは「**ドキドキするね**」と共感の言葉をかけてあげましょう。

7〜12歳への関わり方

つけっぱなしの電気、ソファにかけられたジャケット、脱ぎっぱなしの洗濯物。そんなだらしない生活習慣を見たとき、「ちゃんとしてよ！」と叱りつつも「わたしも同じことやってるな」と内心気がついている親御さんもいるのでは？　子育ては、子どもにきちんと生活習慣を身につけさせること。そんなふうに考えていると、きちんとできていない子どもに腹が立つし、きちんとしつけられていない自分に自己嫌悪を感じるかもしれません。しかし、実はこれらのことは、環境を工夫することで改善できることが多いのです。子どもに何度言ってもできなかったことと、お母さんがいつも気をつけてもついやってしまうこと。この2つの問題の解決策は実は同じなのです。

いつもつけっぱなしになるお手洗いの電気は、センサー式に変えましょう。洗濯しない衣服を一時保管するフックを玄関に作りましょう。いつも洋服を脱ぐ位置にカゴを置いて、そこに脱いだ服を入れるようにしましょう。「わたしに似て子どももだらしない子になってしまった」と考えるのではなく、**「みんなが快適に過ごせるようにできることをしよう」**と問題解決思考に切り替えるといいですね。

✕もっと働く時間を短くしてあなたと話すようにするわ
○短くてもしっかり向き合えば子どもは安定する

Keyword
1日10分の法則

仕事と育児を両立するために、自分流のスタイルを見つける

特に仕事をしている親御さんから、「なかなか子どもとゆっくり話す時間が持てない」「コミュニケーション不足でちゃんと育つか心配」などの悩みをよくお聞きします。

子どもと長い時間一緒にいても子育てがうまくいかないこともあるし、短い時間しかいられなくてもうまくいくこともあります。生活スタイルは人それぞれ。自分の選

んだスタイルの中で一番いい方法が見つかるはずです。

働いている親御さんが働いていない親御さんと同じようにできないのは当たり前のことです。子育てに専念している親御さんを100点だとしたら、仕事と両立しているのですから50点をとれれば充分なはずです。逆に、仕事に専念している親御さんを100点だとしたら、仕事だけでなく育児もしているのですから50点とれればいいはず。つまり、50点を目指せばいいのです。

子どもが小さいときはできるだけ子どものそばにいたい、そして成長を見ていたいと思う親御さんがいます。そんな方には、短い子育ての期間を思いっきり楽しんで欲しいものです。

一方、子どもと1日中一緒にいると息が詰まりそう、仕事をしていた方がバランスよく感じる、といった人もいます。そうした人は、仕事と育児のバランスを自分なりにとれたらいいですね。

ずっとついていてあげるよりも、適度な距離感をもって、子どもの話すことをよく聞いてあげることの方が遥かに大切です。

それでもやっぱり不安という方、子育ての質を高めたいという方におすすめなのが、「1日10分の法則」です。1日10分だけ、何かしながらではなく、子どもと真正面から向き合う時間を作ってみてください。

1日の中で、子どもが特にたくさん話しかけてくる瞬間がありますね。保育園・幼稚園から帰ってきたとき、お風呂のとき、寝る前の時間など、伝えたいことが溜まっているときや、リラックスしているときが多いようです。それがベストのタイミング。長い時間一緒にいても、「はい、はい」となんとなく受け流したり、「あとでね～」とベストなタイミングで向き合えなかったりすることも多いですね。ですが、「10分だけ聞く」と決めてしまえば気が楽になりますし、実践もしやすくなります。時間のない親御さんだからこそ、子どもには〝心〟をかけてあげたいものです。

0～2歳への関わり方

まだ充分にお話ができない年頃なので、1日10分〝遊ぶ〟ことを心がけてみてください。家事をしたりスマホを見たりしながら適当に接するのではなく、ちゃんと正面から向き合って、目線を子どもと同じ高さに揃えましょう。子どもが喜んだことに対して、「できたね！」のようにリアクションしましょう。1日中ずっとは大変かもしれませんが、1日10分ならできそうですね。遊びなので、子どもが元気な時間帯がいいでしょう。朝食後の活動的な時間や、お昼寝から起きたあとの遊び時間などがおすすめです。

3〜6歳への関わり方

この頃の子どもが一番話をしたがるのが、幼稚園や保育園から帰ってきたとき。つまり、親にとっては夕食の準備をする忙しい時間。大変かもしれませんが、可能なときは向き合って話を聞いてあげましょう。その時間が難しければ、お風呂の時間もおすすめです。肌と肌が触れ合ってリラックスできるので、本音を話しやすい時間です。また、寝る前の時間もいいでしょう。眠る前のうとうとしているときが、一番潜在意識に入りやすいです。このときに「あなたのことが大好きよ」「明日もいい日になるよ」とポジティブな会話をしてあげると、子どもの心に響きます。

7〜12歳への関わり方

部活や習い事、塾などで忙しくなる時期。話すタイミングもなかなか合わなくなってきます。そこで大切なのが、家族で話す時間をあえて作ること。朝ごはんの間は家族そろって話をしながら食べるとか、夕食の間はしっかり話を聞いてあげるとか、食事の時間を活用するといいですね。塾通いなどでそれが難しければ、週末に必ず時間をとるなど、その子の生活スタイルに合わせた時間のとり方をしてみましょう。きょうだいがいる場合は、ひとりひとり違う時間をとるのが有効です。また「最近どう?」のような大枠での質問は案外答えにくいもの。「ユニホームが真っ黒だね」のように切り出すと「最近筋トレが多くてさ……」と話のきっかけになります。

忙しく働き続けて涙が出るとき

×まずは子どもが優先。自分のことは後回し
○今日もよく頑張った。空いた時間で好きなことをしよう

Keyword
セルフ・コンパッション

自分ひとりでいる時間、持っていますか？

子育てに熱心になるあまり、自分のことはつい後回しにしていませんか？

そんな人に覚えておいてほしいのが、子どもと同じくらい自分自身も大切にしてほしいということです。

このような考え方を「セルフ・コンパッション」といいます。セルフ・コンパッションは心理学でよく用いられる言葉で、テキサス大学オースティン校の教育心理学

の准教授であるクリスティン・ネフが提唱したと言われています。セルフは自分自身、コンパッションは思いやりや慈悲という意味で、他人を思いやるのと同じように自分自身も大切にするということです。

子育てをしていると、子どものことを優先して自分のことを犠牲にしてしまったり、「私が悪いんだ」と自分を追い詰めてしまったり、ストレスを感じてもなかなか発散するのが難しかったりしますね。

ですが、子どもにするのと同じくらい、自身のことも大切にしてほしいのです。それは親の心の安定だけでなく、子どもの安定にもつながります。子どもの心を満たすためには、まずご自身の心を満たしてあげるといいのです。

そのためには、自分ひとりでいる時間を持つ、自分に対して「ありがとう」と言う、自分を癒す手立てを見つける、すきま時間で何か好きなことをするなど、自分にもごほうびをあげる習慣を作りましょう。

悩みを抱えて苦しいとき

×こんなこと誰にも相談できないな
○思い切って誰かに話してみよう

Keyword
傾聴効果

子育てはひとりで考えるほど悩みが増える

子育てをしていて、「こんなときはどうしたらいいのかな」「みんなどうしているのかな」と不安に思うことはありませんか？　そんなときは、誰かに相談してみるのが一番です。

多くは「こんな悩み、人に話せない」と思っている人ばかりです。私もたくさんの親御さんからご相談を受けますが、最初に「こんなこと聞いていいですか？」と前置きされることがよくあります。

これはきっと、子育てにはフレームワークや正解のようなものがなく、親や子どもによって悩みの内容がさまざまだからでしょう。

ごはんをあまり食べない子もいれば食べ過ぎる子もいるし、夜寝ない子もいれば寝過ぎる子もいて、感情的で自己主張が強い子もいればなかなか自分の意見を言えない子もいます。どれも子どもの個性と言えますが、親にとっては悩みになってしまうのです。ほかにもチックや吃音の兆候が見られると、「このまま治らなかったらどうしよう」という予期不安も加わって、ストレスが溜まっていくこともあります。

どんなに些細に思える悩みでも、とにかく人に話してみてください。

人に話すこと、相談することには悩みが解消される効果があります。これは150ページでご紹介した「ストレスコーピング」のひとつ、「社会型コーピング」の一種です。パートナーや友達に相談したり、情報を共有できるようなコミュニティに参加したり、または育児日記をSNSで発信したりすることにも、同等の効果があります。

思い切って話してみると、たとえば相手がパパ・ママ友だと「うちの子もそんなことあったよ」「うちは何日くらいで落ち着いたよ」「大変だよね」と返事が返ってくることも多いです。

結果、解決策がみつからない場合もありますが、それでもいいのです。人に話して共感してもらえただけで、不安が軽減したり悩みが消えたりします。これが「傾聴効果」と呼ばれる現象です。

話す相手は、家族や友達など誰でもOK。ただし、相談する相手によっては、「そんなこと気にする必要ないよ」「心配しすぎだよ」と言われることもあるかもしれません。そんなときは、相談する相手を変えてみましょう。友達でも、幼稚園や学校の人でも、専門家でも、誰でも構いません。わかってくれる人に話を聞いてもらいましょう。ひとりで思い悩んでいることがよくないのです。

0～2歳を持つ親御さん自身への声かけ

初めての赤ちゃんが生まれたばかりの頃は、誰もが子育て初心者。相談できる人や場所を探しておくのが重要です。パートナーや両親などもいますが、第三者の意見も大切。地域の保健師さんに相談したり、近所の子育てサークルに参加したり、遊び場のある支援センターに行って情報交換をしてみましょう。同じ年の子を持つ親御さん同士は同じ悩みを持っているので、話すことで安心できます。「行ける場所、話せる場所、話せる人を探しておこう」と意識してみてください。

3〜6歳を持つ親御さん自身への声かけ

幼稚園や保育園では、パパ・ママの知り合い・友人ができますね。みんなと仲よくなれたらいいですが、波長が合わなくて居心地がよくないという場合も。そういったときのために、複数のコミュニティに参加しておくといいです。園のほかに、習い事で仲良くなる、公園で知り合うなど、いろんな場所で接点を作っておきましょう。仕事で忙しくてそれも難しいという人は、行政の相談室も活用してみてください。今はオンラインでの交流も活発です。「わかってくれる人は必ずいる」と思って探していると、きっとみつかります。

7〜12歳を持つ親御さん自身への声かけ

このくらいの年齢になると、周囲の支援が少なくなります。学校に行っている間は先生が子どもを見てくれているので、何か気になることがあったら先生に連絡してみてもOKです。「こんなこと聞いてもいいかな?」と思って聞けない人も多いですが、一度にたくさんの子を見ている先生からしても、子どもの情報を聞けるとありがたいものです。連絡帳で小出しに聞いてみるのもいいですね。「先生は一緒に子どもの成長を見守ってくれる理解者である」と考えましょう。ほかにも、家に友達を呼べば学校での様子がよくわかりますし、仕事をしている親御さんは大変かもしれませんが、PTAの活動に積極的に参加するのも、子どもが通う環境がよく見えるのでおすすめです。

×イヤじゃないの！ 我慢しなさい
○イヤなのね。少しだけ頑張ろう

Keyword
レジリエンス

感情を受け止め、行動を正す

2歳くらいの子どものイヤイヤ期。何に対しても「イヤ！」と言うものですから、親としても「イヤじゃないでしょ」と負けてはいられません。けれども、子どもはさらに泣き叫び「ヤダヤダヤダ〜！」とひっくり返って抵抗し、結果、親子ともに消耗しきってしまうということもあるでしょう。そんな子どものイヤイヤ期には「感情を受け止め、行動を正す」ということを意識してください。

心理学で「レジリエンス」という考え方があります。レジリエンスとは、「逆境や困難から立ち直る力」のことで、「心のしなやかさ」と訳されることもあります。子どもの「イヤイヤ」や反抗・抵抗といったストレスに真正面から立ち向かうのではなく、ストレスをふわっと受け流すのです。

「馬の耳に念仏」ということわざがありますね。馬にありがたい念仏を聞かせても無駄である。そこから転じて、いくら意見しても全く効き目のないことの例えに使われます。いくら反抗しても効き目はないと子どもが思うように、親御さんが軽くかわすための方法が「感情を受け止め、行動を正す」という姿勢です。

子どもが「イヤ！」と言ったら、「イヤじゃないの！」と言い返さず、「イヤなのね」と気持ちをさらっと受け止めてください。否定されると反抗したくなる心理が生じます。一旦受け止めることで、反抗心が低くなるのです。そして行動だけを正してください。「ごはんを食べたくないのね」「わかったわ」「一口だけ食べましょう」といった具合です。

ここでポイントなのが、まず、感情は受け止めますが行動はしっかりと正すこと。

多少譲歩してもかまいませんが、一貫性を持たせることが重要です。そして、イライラしても、重く受け止めすぎないことも大切です。さらっと軽く受け流してみてくださいね。

0〜2歳への声かけ

イヤイヤ期で注意したいのが、「感情を否定して行動を受け入れる」こと。子どもが「イヤ」と言うと、「イヤじゃないの」と感情を否定してしまい、そのあとあまりに子どもがイヤイヤ言うものだから「仕方ないわね。今日だけよ」と行動を受け入れてしまうのです。そうではなく、「イヤだったのね」「かなしいのね」「悔しいのね」と感情を受け止めてから、「でも頑張りましょう」と行動を正してあげてください。

3〜6歳への声かけ

このくらいの年齢でも、イヤイヤ期のようなものがあります。ただし、言葉を使う力が身についているので、「ママ嫌い」「あっち行って」など親を傷つける言葉を使うことがあります。「ママに対してその言葉は何よ」と反応したくなりますが、それでは子どもの思うツボ。「これは効き目のある言葉なんだ」と思い、繰り返すようになります。こんなときは「そんなこと言われたらさみしいわ」と、さらっと受け止めながら、それはひどい言葉だということは伝え、「それじゃあこうしましょうね」と本題に入ってしっかり指導しましょう。子どもの攻撃には乗らないことです。

7～12歳への声かけ

学校から帰ってきたあと、「遊びに行くのは宿題を終わらせてから」と決めているご家庭もありますね。しかし、実際子どもは宿題をほったらかして遊びに行こうとします。そこで「宿題やったの？」と聞いても「あとでやる。今はやりたくない」と言ったりします。親としては「宿題をやってから行く約束でしょ」と言いたくなりますが、子どもが「はい、わかりました」と言うはずがないですね。そんなときは「そうなの、やりたくないのね。じゃあいつやるの？」と聞いてみましょう。さらりと流しつつ、やりたくないという感情ではなく、行動に焦点を当ててみてください。

×この子が将来問題を起こしたらどうしよう
○問題が起こらないように対策しよう

Keyword
マインド・ワンダリング

子育てにおいて心配事の97％は起こらない

子育てをしていると不安になることがあります。どんな子も、ずっといい子であるはずがありません。成長の過程で時にはいい子でもあり、時には悪い子でもありえるのです。

どんな親御さんでも「私の育て方がいけなかったのかしら」「このまま大きくなったら困らないかしら」などと考えてしまったことはあるのではないでしょうか？　け

れども、子どももひとりの人間ですから、たくさんのことを経験しながら試行錯誤して成長していくのは当然のこと。不安になったときこそ「どうしよう」から「こうしてみよう」へ意識を切り替えてみてください。

私たちは子育てをするなかで「今日はあまり食欲がなかったな」「明日の朝はちゃんと起きられるかな」「学校で友達と仲よくしているかな」と、小さな心配から大きな不安まで抱えてしまいます。今この瞬間だけでなく、過去を回想したり未来について思いをめぐらせたりすることも多くあります。

こうした状態を「マインド・ワンダリング（心の迷走）」と言います。なんと私たちは、生活時間の47％もの時間を、このマインド・ワンダリングに費やしているとも言われているのです。

ここでお伝えしたいのが、心配事の97％は実際には起こらないということです。シンシナティ大学のロバート・リーヒ博士による研究には、心配性の人が抱いた不安の85％は実際には起こらず、さらに残りの12％は対策をすることで回避ができるという内容があります。つまり、97％はなんとかなるということですね。心配事があっても深く考え過ぎず、しっかりと対策をしたうえで前向きに捉えたいものです。

繰り返しますが、不安に思うことの85％は起こりません。そしてあなたがこの本を読んでいる時点で、さらに12％のことも起こらないでしょう。

0～2歳を持つ親御さん自身への声かけ

「子どもがごはんを食べないんです」というお悩みをよく聞きます。今の日本で、飢餓になる子どもというのはあまりいません。バランスよく多くの食材を食べさせたいと思うかもしれませんが、味噌汁とおにぎりでも大丈夫です。食べないと言っても、何食も続けて食べないということはそうそうなく、何かしらで栄養はとれているはずです。「ごはんは全部食べきらなくても大丈夫」と考えてみてください。

3～6歳を持つ親御さん自身への声かけ

トイレトレーニングをしていて、つい強く叱ってしまうこともあるかと思います。「早くおむつがとれるようにならなきゃ」「入園までにできるようにならなきゃ」と焦ってしまうかもしれません。ですが、考えてみてください。大人になってトイレで用を足せない人はそう多くはいませんね。もちろんトレーニングをすることでできるようになるので、それ自体はやった方がいいのですが、不安になりすぎる必要はまったくありません。「すぐトイレでできるようにならなくても大丈夫」と、焦らず見守ってあげましょう。

7～12歳を持つ親御さん自身への声かけ

小学校に入学したばかりの子どもについてよく聞くお悩みが「じっと座っていられない」というもの。先生から「授業中も立ち歩いてしまいます」「集中できていないです」と報告を受けると心配になりますね。ですが、子どもがじっとしていられないのは当然のこと。小学校には刺激があるし、幼稚園や保育園ではずっと遊んでいられたのに、今では1日中座らされる毎日。すぐにうまくいかないのは当たり前です。そのような状態は、9歳・10歳頃になると徐々に落ち着いてきます。不安になりすぎず、「先月より今月の方がちょっとよくなったな」「1年生のときより2年生のときの方がよくなったな」と少しの成長を見守ってあげましょう。

×○○しないとママはしらないよ
○あなたのことが大好きだよ。あなただから大好き

Keyword
承認

言葉に出して子どもが大切な存在であると伝える

大切な「すごい一言」をお伝えしておきます。

それは「あなたのことが大好きだよ」という言葉です。口に出して何度も伝えてあげてください。

私たちの世代は親からそんなふうに伝えられた人は少ないかもしれません。親は自分の命に代えてもいいくらい子どもをかわいく思っていても、子どもは「僕はママ・

パパから愛されているのかな。いつも怒られてばっかり」と思っていたりするものです。それどころか子どもは視野が狭いので、たとえば親が疲れのせいで不機嫌になったりしただけで「自分が何か悪いことしたんだろうか」と思って不安な気持ちになったりするのです。だから、そんな間違った認識を子どもに抱かせないために、言葉に出して子どものことを大切に思っていることを常日頃からさらっと伝えていきましょう。

親から愛されているという事実は子どもの心を安定させ、自信を持たせます。それがしっかりとしていれば、親以外との対人関係も良好になりますし、将来社会に出ていくことができるようになります。

ただ「〇〇できると、愛してあげる」というような条件付きの愛情表現は絶対にやめましょう。条件が満たされないと愛されないとすれば、子どもは条件に適合しない自分を否定するようになり、自信が持てなくなってしまいます。「あなたが勉強できようができまいが、スポーツできようができまいが、友達がいようがいなかろうが私は、あなたがあなただから大好きなんだよ」と伝えていきましょう。

おわりに

最後にどうしてもお伝えしたい「言葉を超える7秒ハグ」

ここまで色々な声かけについてお話ししてきましたが、最後にご紹介したいのが〝言葉いらずの声かけ〟です。それはつまりスキンシップ。

子育てに迷ったら、子どもが自ら成長する力を信じ、7秒間しっかりと子どもを抱きしめてあげてください。

抱きしめるという行為は子どもの心をリラックスさせ愛情で満たす効果があります。しかも7秒以上抱きしめると心を安定させるホルモンが分泌されると言われています。1日1回必ず7秒間しっかりと抱きしめてあげてください。子どもが嫌がるようになったらもう愛情は充分だという合図です。

私はこれを「7秒ハグ」と名付けました。7秒ハグは、タイミングを決めておくといいでしょう。朝起きたとき「おはよう」と言いながら、外から帰ってきたとき「ただいま」「おかえり」と言いながら、夜寝るとき「おやすみ」と言いながら……のように。習慣化することで、「親とギュッとして7秒数えると幸せになるんだ」と、子どもも不安をリセットする方法として覚えるようになります。

抱きしめるときに「1、2、3……」と声に出して数えるのもいいですね。子どもも一緒に数えるようになると、段階を踏んでいる感覚があって、より習慣化しやすくなると思います。

子どもは成長の過程で小さなステップを上がろうともがくことが時折あります。そのたびに周りを巻き込んで感情的になったり、問題行動を起こして親を困らせたりするものですが、どんな行為も子どもにとって成長のためのステップであり、必要な過程です。

どう対応していいのか迷ったら7秒間しっかりと抱きしめてください。

「大丈夫。あなたならできる」と声をかけてあげてください。何よりも効く魔法の言葉です。

育児という素晴らしい経験をしている、あらゆる親御さんが笑顔になり、そして子どもたちが自信に充ち溢れ、のびのびと成長することを心から願います。

竹内エリカ（たけうち　えりか）
幼児教育者。一般財団法人日本キッズコーチング協会理事長。２児の母。お茶の水女子大学院人文科学研究科修士課程修了。20年にわたり大学機関にて子どもの発達心理や行動科学について研究し、延べ20,000人もの親子と関わる。育児関連商品・知育玩具などの監修をはじめ、発達支援では多動症・不登校の克服からギフテッドと呼ばれる子ども達のケアなど育児・教育の専門家として活動。著書「男の子の一生を決める 0〜6歳までの育て方」ほかアジア・フランスなど６カ国で翻訳。68冊。

心理学に基づいた
0歳から12歳
やる気のない子が一気に変わる「すごい一言」

2024年２月７日　初版発行

著者／竹内エリカ

発行者／山下　直久

発行／株式会社KADOKAWA
〒102-8177　東京都千代田区富士見2-13-3
電話　0570-002-301（ナビダイヤル）

印刷所／TOPPAN株式会社

製本所／TOPPAN株式会社

●お問い合わせ
https://www.kadokawa.co.jp/（「お問い合わせ」へお進みください）
※内容によっては、お答えできない場合があります。
※サポートは日本国内のみとさせていただきます。
※Japanese text only

定価はカバーに表示してあります。

ISBN 978-4-04-606245-1　C0037